JN116935

漫才の作り方入門

著者 大工富明

マンガ 用宗四朗

ヨシモトブックス

はじめに

この本を手にとってくれている皆さんは、きっと「笑うことが大好き」「人を笑わせることが大好き」、そして「漫才」が大好き……そんな人たちだと思います。

私もみなさんと同じく、小学生のころはお笑いが大好きな少年で、休み時間だけではなく授業中でもクラスの皆を笑わせていました。

とはいうものの、漫才というものは大人がやるもので、子供の自分がやったりするなんて考えてもみませんでした。

しかし、ある時、クラスの皆の前で歌やその他の演目を披露していくという「おたのしみ会」があった時に、近くに座っていた男の子から「漫才しよう。大工も面白いから一緒にやって」と頼まれました。そして、もう1人入れた「3人漫才」を誘われるがままに深く考えることもなくやることになりました。それが私にとっての「漫才」の始まりでした。

漫才をすると決まったものの、漫才の台本なんていうものは1ページもなく、漫才しようと誘ってきた子は、「僕が何かしゃべるから、それに合わせて面白いこと言って」という始末……。

漫才の中身については全く打ち合わせらしきものもなく、ぶっつけ本番で舞台に上がりました。

漫才が始まっても他の2人はやたら上がりまくって、「えー」とか「あー」とかしか言えない状態で客席はずーっとシーンとしていました。さすがに困ったのか急に、「……えーと。大工が何か面白いことを言ってくれます！」と、急に私に向かって俗にいうムチャぶりをしてきたのです。

「うわーどうしよう……」と思った瞬間、咄嗟に出たのは、お客さんとして目の前にいるクラスメイトの暴露話だったのです。そしたら、「ドッ」と爆笑がとれまして、それをきっかけにどんどん他のクラスメイトや担任の先生などの暴露話をいくつか、1人だけでしゃべって漫才を終えました。

このとき、咄嗟に出たクラスメイトの暴露話というのは、この本の中で紹介している笑いの公式にある「お客さんが興味を持てる知っていること」（コラム第3章参照）しか笑わないという部分にそっていたために爆笑をとれたということは今になって言えますが、笑いがとれる確証なんて当時は何もなく。野球で例えるなら、目を閉じてバットを振り回したら、偶然バットにボールが当たってホームランになったようなものです。

皆さんは決してこのようなことがないように、この本を読んで漫才で使える「笑いをとる方法」を勉強していきましょう。

この本には漫才で使える笑いの公式をいくつも書いておきましたので、その中から自分に合った公式を使って面白い漫才をいっぱい作ってください。そして、人を笑わせる喜びを味わってください。

それでは、さっそくページをめくって漫才の作り方、笑いが起きる仕組みを勉強していきましょう！

もくじ

はじめに……1
本書の使い方……6
プロローグ……7

1章 漫才をするのに一番大切なこと……11
マンガ 第一話「漫上円太郎! 才賀知恵子を誘う」
コラム 漫才って何だろう?
ワーク 大きな声を出して漫才をやってみよう!

2章 笑いは「ネタフリ」と「ボケ」でできている……31
マンガ 第二話「ラフノートを拾ったっス!」
コラム 「ネタフリ」と「ボケ」の関係性
ワーク ボケを引き出すにはネタフリが必要

3章
観客を〝共感〟させてこそ笑いが起きる……45
マンガ 第三話「悪魔に取りつかれた男と女」
コラム 笑いのテーマとして最適なものは〝共感できるもの〟
ワーク 観察力を磨いて「共感」を見つけられるようになろう

4章
笑いを広げるには「気付き」をふくらませる……77
マンガ 第四話「破門、失踪」
コラム「共感の気づき」と「共感の誇張」
ワーク どんどんツッコんで笑いをふくらませよう

5章
人が笑う理由は〝ギャップ〟にあり……103
マンガ 第五話「さようなら師匠ー黄金の舞台」
コラム「予想の裏切り」と「緊張の緩和」
ワーク 最強のお笑いの公式「緊張の緩和」を身につけよう

おわりに……146

本書の使い方

ラフノートって何？

ラフとは英語で「笑い」のこと。このラフノートには、漫才で「笑い」を取る方法や笑いのメカニズムがたっぷり掲載されてます。マンガ・コラム・ワーク（ドリル）の3パートで構成されており、読み進めていくごとに、お笑いスキルがメキメキ上がっていくこと間違いなしです。

登場人物

漫上円太郎（まんじょうえんたろう）

漫才が大好きな小学生。体型からデブ円（まる）とも呼ばれることもある。お笑いの世界に知恵子を誘おうとたくらんでいる。

才賀知恵子（さいがちえこ）

あだ名はチャコ。円太郎とは幼馴染（おさななじみ）。小さな頃、円太郎に求婚（きゅうこん）したことを人生最大の汚点（おてん）として後悔している。

ダイリノォーヴァ・ラーケヴェルブルム（ダイラケ師匠）

地獄審問局（じごくしんもんきょく）で課長を務める悪魔（あくま）。笑うことが一切許されない職場でストレスはMAX状態。尻尾（しっぽ）を触ると体に異変が……?!

アイコンの説明

このアイコンは主にコラム・ワークで登場します。

問　問題

例　例題

応　例を生かして解く応用問題

ボケ

ツッコミ

ツッコむポイント

ボケるポイント

早速、皆で「ラフノート」を読んでみよう！

ピシャ――ン!
ゴロゴロ
魔界――
上倉司!
お前は6歳の時
カエルの腹に
爆竹を入れ爆殺!
ゴゴォォォォ
さらに蟻の巣に水を入れての
大量虐殺!
よってお前は「針地獄」の刑
3千年に処す!
ドン
びえぇぇぇぇぇ!
ぞっ そんなぁあ
あんまりだぁぁぁ!
そんなこと
誰でもやってるじゃ
ないですかぁ
なっ 何卒お慈悲をぉ
閻魔大王さまぁああ!
ジャラッ
※上倉司(34)

ぷ
ぴぃえええぇ…
ジョジョジョー

おいっ
笑うな！

我ら地獄審問官は
常に睨みをきかせねば
ならない存在なんだぞ！
人間共に1ミリたりとも
笑顔なぞ見せてはならぬ！
ぐわっ
はっ…
ハイ！

見よっ！大王補佐の
ダイリノォーヴァ課長の
お姿を！
あの方は生まれてから
一度も笑ったことがない
のだぞ！
次！
悪

ゴゴゴウォオオォ
ドン

はい
囚人039DK58番は
現在「血の池地獄」の
水深5百m付近です！
私の名は
ダイリノォーヴァ・
ラーケヴェルブルム
地獄審問局で
課長を務めている
当然ながらここでの仕事に
笑顔はご法度だ…
おい
トイフェル君
カタカタ

はっ！
私はこれから
出張だ
ボボウ…
サ…
人間界の調査で
ありますか？
常に怒りにみちた
表情のキープ——
それはとてつもない
ストレスとなる

ああ
人間の罪業は
きりがないからな
……
私は…
ガチャッ
ピシャーン！
ゴロゴロ
それが
限界に達すると——

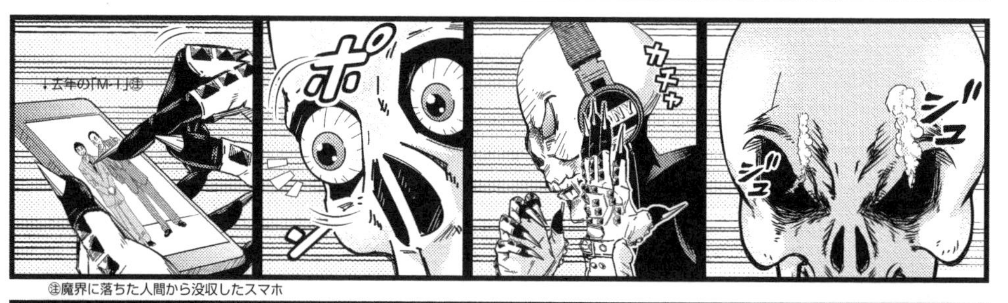

㉓魔界に落ちた人間から没収したスマホ

1章

漫才をするのに一番大切なこと

マンガ

第一話『漫上円太郎！　才賀知恵子を誘う』

コラム

漫才って何だろう？

ワーク

大きな声を出して漫才をやってみよう！

はは…
第一話『漫上円太郎！ 才賀知恵子を誘う』
東京郊外——八王子市立M小学校
ワー
パス回せっ！
ワー
ワァァァ
こっちコッチ！
ワァァァ
ワー
よっ
きゃー！3組頑張れ！
タケルくーん
あーん♥
キャラリーン！
タケル君……ステキ
おーーいチャコ！
ワァァァ
ザッ

やーーっと
見つけたぜ！
ビクッ
久しぶりだなぁ
知恵子(チャコ)！
漫上円太郎やでぇ
ズドン！
よっ！
ワー
㊟円太郎はサイズの合う体操着がないので特注品をはいてます
い・い・か・ら
あっちへ！
なっ…
なんだよ！
ババッ
ワー
ワァァァ
アイツ3組の
デブ円ってコでしょ
なんなのかしら？
チャコの友達？
趣味(しゅみ)悪いねー
ハッ
ヤバイ…

ちょっと！
人前でいきなり
声かけないでよ！
ワアアアア
なんでやねん！
あんたと
幼馴染なんてバレたら
恥ずかしいからに
決まってんでしょ！
ワー
フッ…そうか
ツンデレか
こいつ
まじでキメェな……
よせよせ
今時流行らないねん
で用件って何よ！
早く言いなさいよ
なんだよぉ
久しぶりに会ったのに
……
ワー
許婚に対して
つれないぜぇ
ギクゥ
ワアアァ

ねーエンくん
大人になったら
ケッコンしてね
スリスリ…
うん
いいよー
そうなのだ
同じ幼稚園だった時
将来こんなキモデブに
なるとは予想できず
……
私には…
男を見る目がなかった
まさに――
ドゲシー
我が生涯最大の悔いなり！
ちょっ…
あんなん子どもの
ころの話でしょ！
はっ
二度と許嫁の
話しないでよ！
まー照れるな
照れるな
トコトコ
ガンバレー
ワァァァァ
ワー
ワァァァァ
ワー
まぁそうカッカせずに見ろよ
一つのボールに
青春をぶつける若人の姿を
そーいや3組と5組の
合同試合なのになんで
あんた出てないの？

モチロン出場依頼はあったが
俺は膝に水が溜まってるからな
丁重にお断りした
偉そうに言わないでよ
てかあんた本当に小学生か？
ワァアアア
それが…コレだ！
ザッ
来たれ！全国の若人よ！
小学生全国
関東TV主催
漫才大会
急！エントリーはスマホでOK！
はぁ？何よそれ
えっ…『小学生全国漫才大会』⁉何よコレ！
だが！俺は俺で別のことに青春を燃やすつもりだねん！
ガシィィ
ワァアアア
へへへ…つまり用件ってな俺とコンビを組んでこの大会に出ぇへんかってことやねん！
は──っ！なんですってぇ！アタシがあんたと漫才！
ワー

ワー
あーん
タケルくーん
ガンバってぇ
ワァァァァ
ワー
ワー
バッ
しまった！
ワー
しかも
全国ＴＶ中継
ですってぇ！
はっ
はっ
ムリムリムリムリムリムリッ
私漫才なんて
絶対に無理！
いや
この小学生爆笑王の
漫上円太郎の目に
狂いはないでぇ
お前には
漫才の才能がある！
ワー
ワー
何が爆笑王よ！
あんたは謎のニセ関西弁を
使ってるせいで
皆に笑われてるだけだから！
そこだ！
その的確なツッコミ！
お前には抜群の
ツッコミセンスが
あんねん！
ワァァァァ

だって漫才大会って何百人ものお客さんの前でやるんでしょ？いくら頼まれても絶対無理よ！
そこをなんとか一生のお願いや！
頼む――――！
もうお前しか頼めるヤツがおらんのや
くわっ
う――
その目には弱い…
しかし…
やっぱり無理！
ばっ
な!!
なんでやねんっ！人がこれほどまで頼んどるのにこっ…このブス！
はぁブスぅ？何よこのデブ！
うるせーブス！
デブ！
デブ
ブス

ブス！
オイオイ
いつのまにかセリフが逆になっとるがな
パン
もーええわっ！
あっ…本当だ！
ザッ
デッ…
ちょっと待った！
やだアハハ…
ハハハッ
トン
コロコロ…

やだ…タケル君
ま まずい…
知らない間に
大声出してた
聞かれちゃったかなぁ？
ん？
ガサッ
小学生全国
へーーお前ら
漫才大会に出るのかよ！
ハハハ２人とも
息ピッタリだったぜ
俺 絶対に応援に行くよ！
はいっ！
一生懸命頑張ります！
ぜひ見に来てください♡
キラッ
キララッ
パシッ
ぐはっ
どないやねんっ！
急変！

は――い！
物語（おはなし）はいったんお休みです
次のページからは
コラム＆ワークの
第１回が始まるよ！
すごく勉強になるから
僕（ぼく）らと一緒に
君も挑戦（チャレンジ）や！

コラム 1

漫才って何だろう？

漫才[※1]とは、2人がマイクの前で面白い会話のやりとりをするものです。

面白い会話をするためには、2人がそれぞれ面白いことを言い合う必要はありません。2人がちゃんと役割をはたして、会話のキャッチボールをしていればきちんと笑いがとれるからです。

逆に、2人がそれぞれバラバラに自分が面白いと思うことのみを発信しあっていたら、決して面白い漫才にはなりません。

漫才をする2人には役割があるのです。

面白いことを発言するほうが「ボケ[※2]」。ボケの言ったことに対し、否定や訂正（ていせい）をしたり呆（あき）れ返ったりするほうが「ツッコミ[※3]」だと言

（※1）漫才とは、主に2人組で行い、立ちながら面白い会話のやりとりをして、観客を笑わせる芸の一種。語源は、平安時代からある伝統芸「萬（まん）歳（さい）・万歳（ばんざい）」であり、しだいに太鼓、その他の楽器を使って、寄席などでも行われるように。その後、昭和（しょうわ）初期には、横山（よこやま）エンタツ・花菱（はなびし）アチャコにより現在の楽器をもたない「しゃべくり漫才」という形になりました。

われています。

また、ツッコむときによく使われる言葉としては「なんでやねん！」「何言ってるの！」「よしなさい！」「馬鹿じゃないの！」「もういいよ！」など、ボケの挙動に対し、正す言葉が多くあります。

でも、なぜボケにツッコミを入れるのでしょうか？

それは、ボケに対してツッコミを入れることで、お客さんにより強く共感してもらい、大きな笑いを誘発（ゆうはつ）することができるからです。例えば、４コマ漫画の４コマ目のボケにはツッコミがありません。しかし、漫才のボケにはツッコミが加わります。ツッコむことで目の前のお客さんを笑わせる〝ライブ芸〟になります。目の前のお客さんに笑ってもらうために言った「ボケ」の言葉を聞いて、お客さんの心の中にある「何を言ってるんだよ」「ちがうでしょ」という思いを、返答できないお客さんの代わりにツッコミが舞台上で言います。お客さんの思いをツッコミが言うこと

（※２）「ボケ」とは、ツッコミと違（ちが）う意見やリアクションをとったり、突拍子（とっぴょうし）もなく変なことを言う変わり者、非常識な人を指します。

（※３）「ツッコミ」とは、観客の大部分と同じ感覚を持つ人、つまり、常識人を指します。

で、お客さんが「そうそう。私の思っていることはそれなんだ!」と心の中で思い、お客さんの共感度がより増して大きな笑いが生まれるのです。

漫才は、意見や考え方、価値観の違う「ボケ」「ツッコミ」[※4]の2人が会話して面白く聞かせることが一般的です。漫才をする2人が全く同じ意見や考え方だったら、話がいろいろな方向にふくらんでいかないので面白くならないことが多いです。2人の話す方向をどうかみ合わなくさせるかをいつも意識しましょう。

実際に漫才をする時に一番大切なことは何だと思いますか?
それは、大きな声でハッキリと言葉を伝えることです!
「え!? そんなこと〜」と思った人も多いでしょうが、皆さんがよく知っているプロの漫才師の漫才をぜひ一度生で、そして、一番

(※4) ちなみにこの漫画では知恵子が「ツッコミ」をやり、円太郎が「ボケ」をすることになります。そう思いながら漫画の方を読んでくださいね。

前の席で観てみてください。舞台で漫才をする２人が想像以上に大きな声でしゃべっていることがわかります。

だけど、どうして大きな声で漫才をしないとダメなのでしょうか？　そのわけは、小さな声でボソボソと会話をしていたら、何を言っているのかお客さんにちゃんと伝わらないからです。それだと、決して大きな笑いはとれません。それはなぜかと言うと漫才は何の小道具も使わず、舞台上の２人の会話だけで笑いをとるもので、「言葉だけが笑いをとるための武器」となるからです。

そして、プロがしている漫才には台本[※5]というものがあります。まず皆さんは面白い台本を作って、それをもとに大きな声で稽古（けいこ）[※6]を始めましょう。

稽古の最終目標は、２人がテンポよく会話できるようになるこ

（※5）台本とは、お客さんを笑わせる為に２人のやりとりを書いた「笑いの設計図」です。これをちゃんと作っていないとグダグダのだらしない漫才になってしまいます。

となので、それができるようになるまでは十分に稽古を繰り返してください。稽古量が少ないと、セリフを思い出すまでに変な間が開いたり、大事なセリフを言い忘れたり、セリフを飛ばしたりしてしまいます。そんなことでは漫才のネタがどんなに面白くてもお客さんは絶対に笑ってはくれません。

漫才をする2人が面白いと思うやりとりを100%伝えるためには、2人のセリフを「正確に」「タイミングよく」お客さんに伝えることが一番大切なのです。

この設計図（台本）をもとに、演者側のキャラクターや表情、言い方、テンポなどが加わって漫才ができあがります。

（※6）稽古とは、広く芸道に共通して使われる、練習を指す言葉です。

ワーク1

大きな声を出して漫才をやってみよう！

テーマ 漫才をお客さんへ伝えるためには、大声で発声することが大切です。

ゴール 大きな声で、はっきりと伝えられるようになりましょう！

大きな声で漫才「やまびこ」をやってみよう

まずは、大きな声で以下の漫才を読んでみましょう。

「この前、遠足で山にいったら、やまびこがきこえてきたんだ」

「ヤッホーと言ったら、ヤッホーと返ってくるやつね」

「そう、それそれ！　今から自分が大きな声を出すから、やまびこやって！」

「オーケー！　まかせて〜！」

「けど、普通（ふつう）にやっても面白くないから……私が言った言葉を反対にして

返してきて」

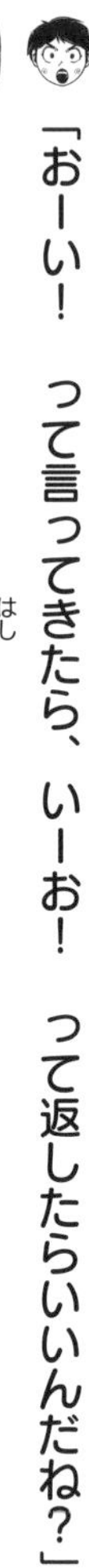

「おーい！　って言ってきたら、いーお！　って返したらいいんだね？」

「正解。じゃあ、舞台の端(はし)と端にいってやりあおう！」

「わかった」

それぞれ舞台の両端にいき、どちらも手をそえて、大声を出してみよう！

「おーい！」

「いーお！」

「ヤッホー！」

「ホッヤー！」

「こんにちわー！」

「わちにんこー！」

「しんぶんしー！」

「しんぶんしー！」

舞台に立ったつもりでやってみよう！

どちらもセンターマイク前まで戻って、同じツッコミのポーズ決める

「（そろえて）一緒や！」

「上から読んでも下から読んでも、一緒の言葉を言うからだろ」

「ごめん。やりなおそう！」

それぞれ舞台の両端にいき、どちらも手をそえて、大声を出してみよう！

「アヘアヘアヘー」

「ヘアヘアヘアー」

「ウヒハー」

「ハヒウー」

「アーメマー」

「マメーアー」

「お前、アホだろ」

「お前よりましだ」

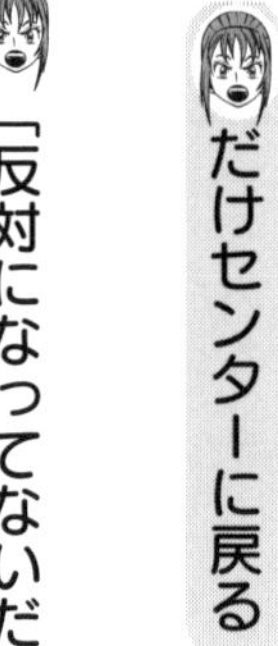

だけセンターに戻る

「反対になってないだろ。もういいよ！」

これで漫才の基礎が身についたはずです。

第2章からは、具体的に知識をつけていきましょう。

2章

笑いは「ネタフリ」と「ボケ」でできている

マンガ

第二話「ラフノートを拾ったっス！」

コラム

「ネタフリ」と「ボケ」の関係性

ワーク

ボケを引き出すにはネタフリが必要

第二話『ラフノートを拾ったッス！』

2人はまず漫才の台本に取りかかりました

ところが…
ダメだ一行も進まない

ちょっとぉ！何遊んでるのよ
誘ったのはアンタなんだからアンタが考えなさいよ

う――ん…いざ台本を目の前にすると全く面白いことが浮かばないや
トッ
トッ
まさかネタ作りがこないに難しいとは…

あーー
悩みすぎて
身も細る思いだよ
むしろ
良いことじゃ
ない
てか そんな程度で
痩せるような繊細な
人間じゃないだろ

えーい！
クソッ!!
アイデアよ
……

湧けーー
ーっ！
ピューー
カーーーン

ガァ!
ドゴッ

LAUGH NOTE

ぱさッ!
おおー!

何どーしたの?
か…缶がカラスに当たって空からノートが……

何言ってんのよ
そんなこと
あるわけないでしょ
本当だよ！
本当にカラスが
落としたんだ！
LAUGH NOTE
大丈夫かな？
糞が付いてたり
したら…
僕って
きれい好きだから…
い―――から早く
拾いなさいよっ！
なんだ？
ら…ら…ウジ…
ノート??
LAUGH NOTE
バカね
「ラフ」よ！
英語で『笑い』って
意味よ！
笑いの
ノート！

うむ
うむ…
パ～パ～

漫才とは

これはスゴイ！
漫才で笑いをとる法則がいっぱい載ってるでぇ――……
これは
漫才の教科書やっ！
LAUGH NO

アハハ…
そんなアホな
本当だって！
ホラ
読んでみろよ

うわ━━━！
本当だー！
スゴイぃぃ！
すごい！
すごいわっ！
だろ
ハッ
でも一体なぜ
このタイミングで…
私たちの前に
こんなノートが⁉
ふふ…
まだわからないのか
愚かな━━
俺には
全てが理解できた
…でぇ
これは天よりの
贈り物や！
天は我らの才能を認め
優勝せよと望んでおられるのだ！
ありがとう！
ありがとう神よっ！
なんという
ポジティブ過ぎる
シンキング…

コラム 2

「ネタフリ」と「ボケ」の関係性

「笑い」がベースにある全てのエンタテインメントは、「ネタフリ」と「ボケ」で成立しています。

皆さんも一度は聞いたことがある、昔から語りつがれている小話（こばなし）[※7]もそうなっています。では、実際に読んでみましょう！

例 小話

「ハトが何かをおとしていったよ」

「ふーん」

この小話[※8]は、「ハトが何かを落としていったよ」の部分が「ネ

（※7）小話とは…短く面白い話やちょっとした気の利いた話を言います。

タフリ」になります。そのネタフリを受けて「ふーん」と答えた返事とハトの糞（フン）をかけて返事したのが「ボケ」となります。ボケの人が、急に変なことを言っても、お客さんは意味が理解できないので笑えません。笑いには必ず、ボケを引きだすためのネタフリが必要なのです。

「笑い」の代表として他にも4コママンガがあります。4コママンガの場合、前半の3コマ目までの「ネタフリ」を受けて4コマ目で笑いをとるものです。次のページでは実際に4コママンガを使って、説明していきます。

（※8）小話は、他にも、「あんた、背が高いね」「ハイ」「この魚、いくらや」「ハウマッチ（はまち）」「お母ちゃん、ケツ破れた」「尻ません」……など、いろいろな小話があります。

コンビニにて・・・

お母さーん
アイス買って
アイスぅ
まぁ
大きな声で・・・
ゴォォォ
ポテチ

全く
アンタって子は・・・
わっ
家の冷蔵庫に
まだアイスあるでしょうダメよ!

…フン!
あーん
あーーん!
そんなウソ泣きしても
アイスは買いませんからね!

ボケて!
?

コンビニにて・・・

4コママンガの3コマ目までがネタフリになり、最後の4コマ目で「ボケ」ることで大きく笑いにつながります。

具体的に解説すると、お母さんが女の子のすぐ横まで近づく2コマ目から、急に女の子が泣き出す3コマ目までが、4コマ目へのネタフリとなっているのです。

ワーク 2

ボケを引き出すにはネタフリが必要

テーマ 漫才では「ボケ」の前には必ず「ネタフリ」が必要になります。「ネタフリ」の後にはどんな「ボケ」を入れたらいいのか考えてみましょう。

ゴール ポイントは「落差」。期待を裏切るボケを発することで、面白い！と納得できる笑いを作れるようになりましょう。

ボケてみよう！①

問 お腹の空いた子供

子供がアンパンマンに話しかけています。

子供「ねえねえ、アンパンマン、お腹空いたよ〜！」
アンパンマン「ボケて！？ ＿＿＿＿」

ヒント
お腹が空いた子に顔のアンパンを差し出すのではなく、何をあげたら面白いかな？

ボケてみよう！②

問 先生と生徒

遅刻した生徒と先生が話しています。

生徒「すみません。遅刻しました。」
先生「ばかもん！どうして遅刻したんだ？」
生徒「ボケて！？ ＿＿＿＿」

ヒント
遅刻には理由がつきものですが、期待を裏切る「ボケ」を考えよう！

いかがでしょうか？
このように笑いの中での「ネタフリ」と「ボケ」の関係性が、少しはわかりましたでしょうか？

アイデアノート

（たくさんアイデアを書いてみよう）

3章

観客を“共感”させてこそ笑いが起きる

マンガ

第三話「悪魔に取りつかれた男と女」

コラム

笑いのテーマとして最適なものは“共感できるもの”

ワーク

観察力を磨いて「共感」を見つけられるようになろう

第三話『悪魔に取りつかれた男と女』

あわわっ
わ
誰っ!
ゴゴゴゴゴゴゴゴゴゴゴ…
やっと見つけたぁ
LAUGH
ぎゃ――――!
ちょ…ちょっと起きなさいよぉぉ!
ぶん
ぶん
ひーイイイイ!
ゴゴゴ…
ブク
ブク
ハッ
お…お前は一体なっ何者だっ!

悪魔だ！
もっとも地上界では
笑いの悪魔ってところか…
ドンッ
LAUGH NOTE
久々の地上界で
のんびり昼食を
喰って（く）いたら——
で
下僕（カラス）のヤツが
ノートを
かっさらっていき
やがった
バサッ
LAUGH NOTE
ほうぼう
探し回って
ガチガチ
ようやくここに
たどり着いたのサ

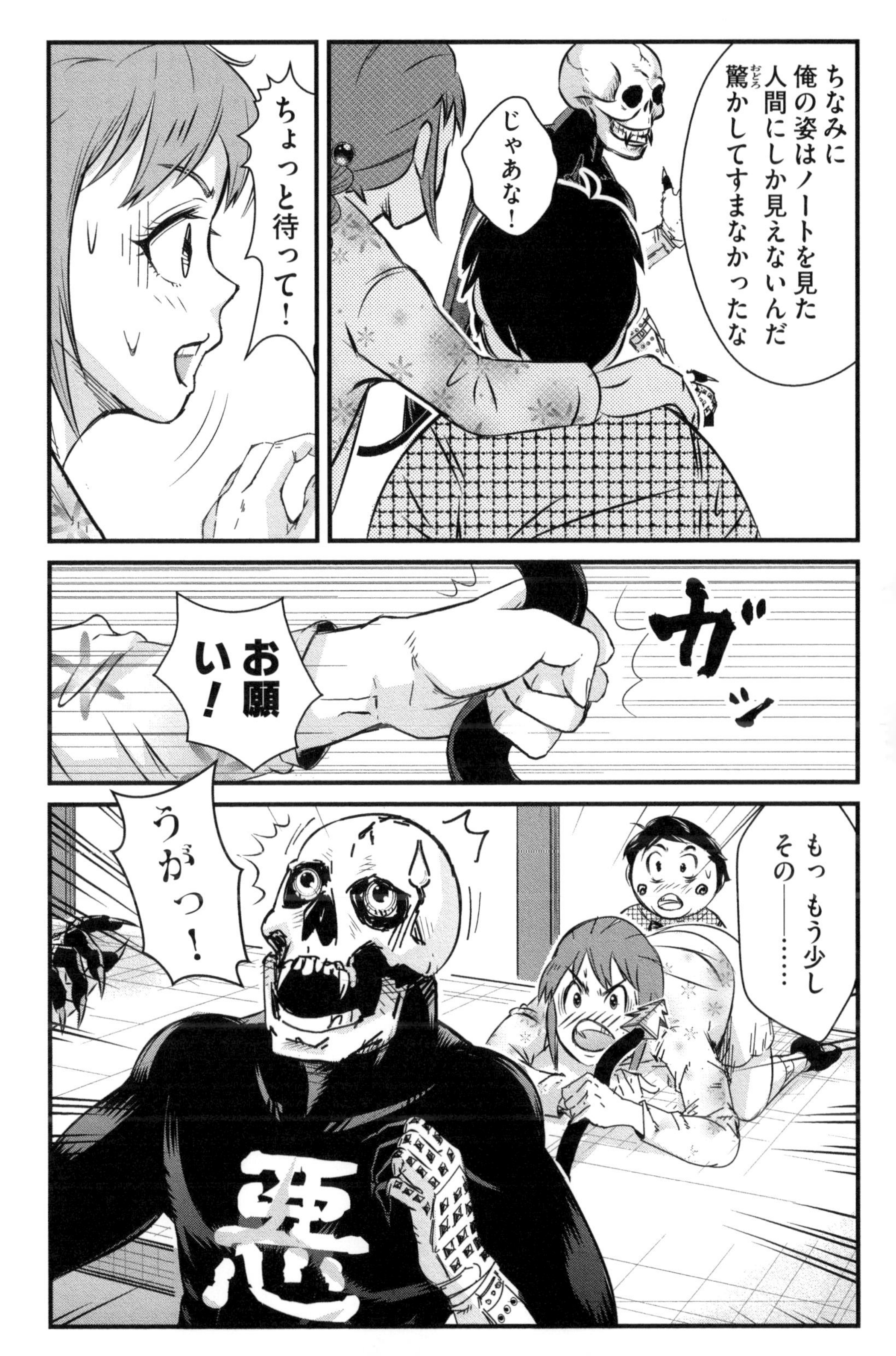
ちなみに
俺の姿はノートを見た
人間にしか見えないんだ
驚かしてすまなかったな
じゃあな！
ちょっと待って！
ガッ
お願い！
もっ もう少し
その――……
うがっ！
悪

えっ！
ええっ
ギュイイー―ン！
わぁぁあああぁ
ポトッ
ちっ…小さくなってるぅ！
しまった――ぁ！悪魔は人間にシッポを触られるとこーなってしまうんだぁ！
くそー！完全にびびってたからまさか接触してくるとは思わなかった
油断した！
LAUGH NOTE
ニヤリ

ところで 悪魔君とやら
君どーやったら元に
戻れるんだい？
シッポを握った人間に
もう一度シッポを
触られると
元に戻るんだよ！
サッ
チャコ！
絶対触るなよ!!
よーしわかった！
おい！悪魔っ
俺たちには
そのノートが必要だ！

漫才大会が開催される
1週間後まで
ノートは貸して
もらうし…
あんたにも
漫才練習に
付き合ってもらう！
そしたら再び元の姿に
戻してやるよ
相手が弱いと見るや
たちまち尊大に…
なんてわかりやすい男！
ズーン

ふざけるな！
オレは悪魔だぞ!!
お前たちを強制的に
魔界に連れて行くことも
できるんだぞ！

ぐぬぬ・・・
い～とも その姿で
魔界とやらに帰れるならな
赤っ恥をかくんじゃないのか？
よっ

あーわかったよ！
その漫才大会まで
付き合ってやるよ！
だが それが終わったら
必ず元に戻せよっ！
よーし決まった！
ほら…チャコも手をつなげよ
この3人で
大会優勝を目指そうぜ！

で…
お前らどこまでノートを読んで勉強したんだ？

笑いはネタフリ→ボケのセットでできてるってとこかな
LAUGH NOTE

なんだまだ序盤も序盤じゃないか
LAUGH NOTE

まぁいいでは——
その続きから特訓だ！

ちょ その前にさぁ
君のことを悪魔って呼ぶの
体裁悪いじゃ**やん**
名前
教えてよ
俺か！ 俺の名前は
ダイリノォーヴァ・
ラーケヴェルブルムと言うんだ
なんて言いにくい
名前なんだ
ちょっとぉ
失礼でしょ
とても
覚えきれん！
芸人の名前ってな
「ダウンタウン」
みたく簡潔かつ
わかりやすいのが
鉄則なんだよ**ねん**！
これは
本名だっつーの！
ピコーーン！
そうだ！
縮めてダイ・ラケ
ってのはどう？
うん！
これなら呼びやすくて
いい**やん**！
ダイラケ
……

ちなみに言っとくがな
俺はお前らより
そーとーな年上だぞ！
3万年ほどな…
じゃあダイラケセンパ…
いや！
ダイラケ師匠でどう？
し…
師匠オ
師匠
お茶です
お笑い好きに
とっては…
なんて甘美な響き
悪くない！
いや
「ダイラっつぁん」
のがいいか
それなら
ダイラーのが
カッコイイわよ！
ダーー！
そんなことは
どーでもいいんじゃ
早く続きを
始めるゾ！

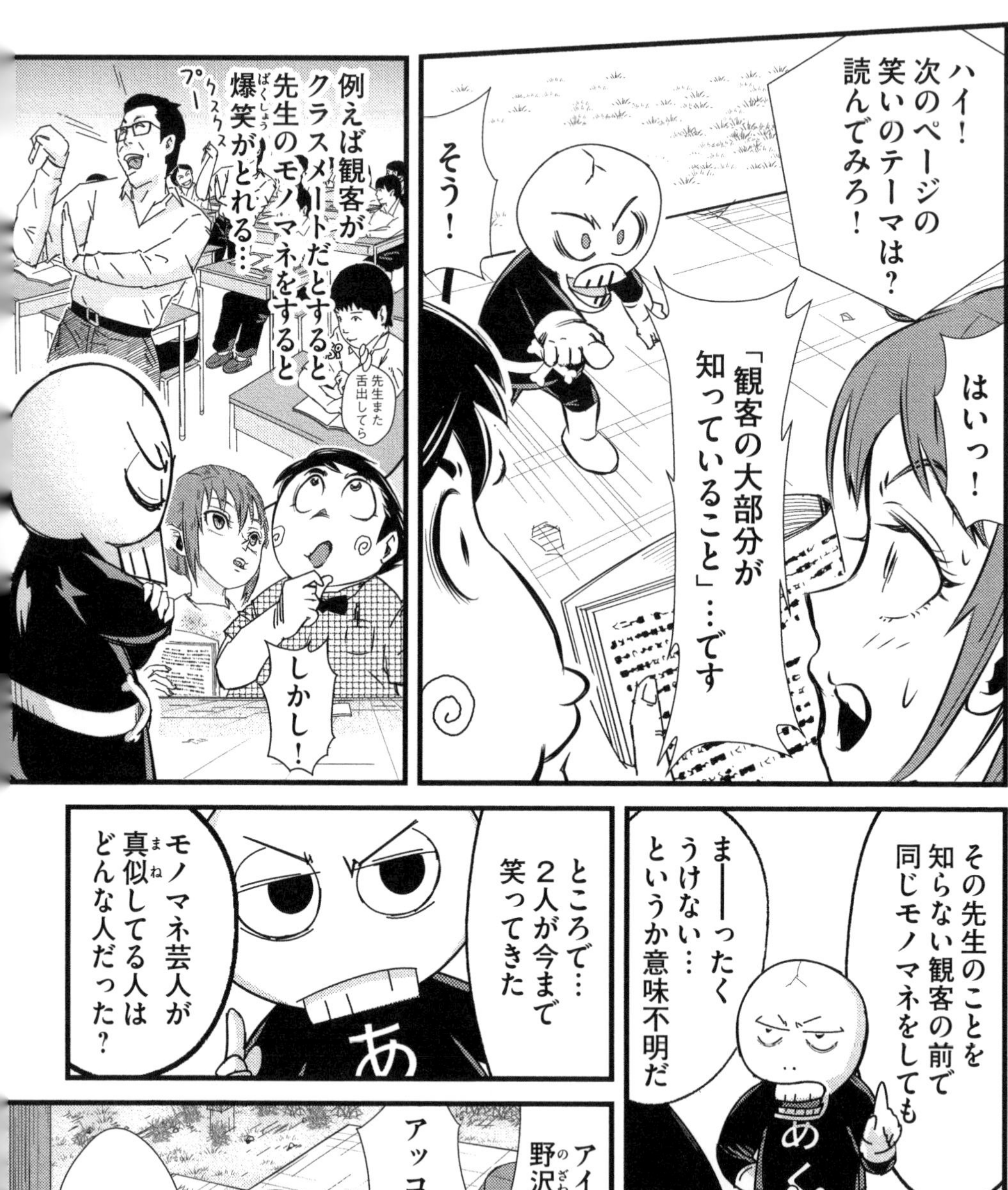
ハイ！
次のページの
笑いのテーマは？
読んでみろ！
はいっ！
「観客の大部分が
知っていること」…です
そう！
例えば観客が
クラスメートだとすると
先生のモノマネをすると
爆笑がとれる…
プー
クスクス
先生また
舌出してら
しかし！

その先生のことを
知らない観客の前で
同じモノマネをしても
まーーったく
うけない…
というか意味不明だ
確かに

ところで…
2人が今まで
笑ってきた
モノマネ芸人が
真似してる人は
どんな人だった？
アイデンティティの
野沢雅子！
アッコさん
ホラどっちも
皆が知ってる
有名人だろ

どーしてかというと
芸人が真似する元の人を
観客が知らないと
全然うけないから
有名人ばかりになるんだ
おぴょ
おぴょーん！
はい以上
チョモランマ三郎の
雄叫びでした！

これは漫才も同じだ
お客さんの知らないことをテーマに
しゃべっても誰も聞いてはくれない…
なるほど！
とは言うものの
ただ単にお客さんが《知ってること》を
しゃべっているだけでは これまた誰も
漫才を聞いてくれないんだなぁ！
《知ってること》には《興味を持てること》が
加わらないと誰も見たり聞いたりしてくれない
この二つが重なったとき初めて——
《お客さんが興味を持てる知ってること》という
笑いすべての基本であり原石となるモノが
爆誕する！
これでようやく「笑いのテーマ」と呼べるものに
なりえるんだ わかったか！

よーし！
じゃあ次のページ
めくって読んでみろ
はっ！
「笑いのテーマに必要なものは《共感できること》」
…とありますっ！
LAUGH NOTE

前ページで話した
《お客さんが興味を持てる知ってること》は
実はたった二文字に変換できる
それは…
＝
『共感』だっ！
オ…オレ？
ビッ
オイ、男のほう
「共感」って
意味わかるか？
京都と
羊羹
え…
えっと
モ…モチロンですよぅ
「京都のようかん」でしょ
確かにあれは美味かったぁ
もういい！
女のコのほう
すた すた
はいっ！
共感というのは
「そうそう」とか
「あるある」と
言って
うなずいたり
思わず膝を
打っちゃうこと
……だと
思います！
ばっ
正解！
OH NO!
じゃあ
2人が思いつく
お客さんと共感できる
話題ってなんだと思う？

はいっ！
名誉挽回させて！
ハイ
ハイ
それはですねぇ
…えーとっ
アーーあの…
ウー
ウーーー…
うっせーな
はい、男っ！
アはい！
どうぞ……
もう！
調子いいんだからっ
えっとぉ…
それは例えば学校とか
家族かなぁ？
いいだろう…
日本は義務教育で
全国ほぼ同じ教育を
受けてるからな
《学校》と《家族》は
長年漫才だけじゃなく
アニメや漫画、ドラマ、小説など…
ありとあらゆるジャンルで
時代を超えて長続きしている
共感できるテーマの代表格なんだ
じゃあ今から
「学校でこんなやつがいる」とか
「学校でこんなことあるある」
ってことを発表してくれ！
ハイ
よーし
今度こそ
やるゾ！

はいっ！
学校の体育館の天井にはなぜか一個はボールがはさまってます！
お！いいぞ！そういうことだ！
次はあるか!?
はい！机にコンパスで穴をあけそこに消しゴムのカスを詰め込んでるヤツがいます
校庭に犬が入ってくると教室中が異様にテンションが上がりますっ
あるあるっ
いいゾ！ もっといろいろあるだろ！ ジャンジャン言っていこうぜ！
給食でカレーが出たときは４杯はおかわりするっ
それは流石にアンタだけでしょ！
次ィ！
机の中にパンを貯めこんでカピカピにさせてる子がいます！
うんあるなー！
はい次っ

はい
はーい！
バッ
僕は揚げパンが
一番好きです
ちょと！それのどこが
あるあるなのよっ！
ずっ！
ドッ
い～加減に
しなさい！
ガタ
どーも
失礼いたしやした！
ケケケ
もーええわっ！
バン
わはははっ
早速2人で
共感の「あるある」を使った
漫才を始めたじゃないか！

エッ
そうでしたか?
いえ…
そんなつもりじゃ
イヤ…
いいんだ
いーんだ!

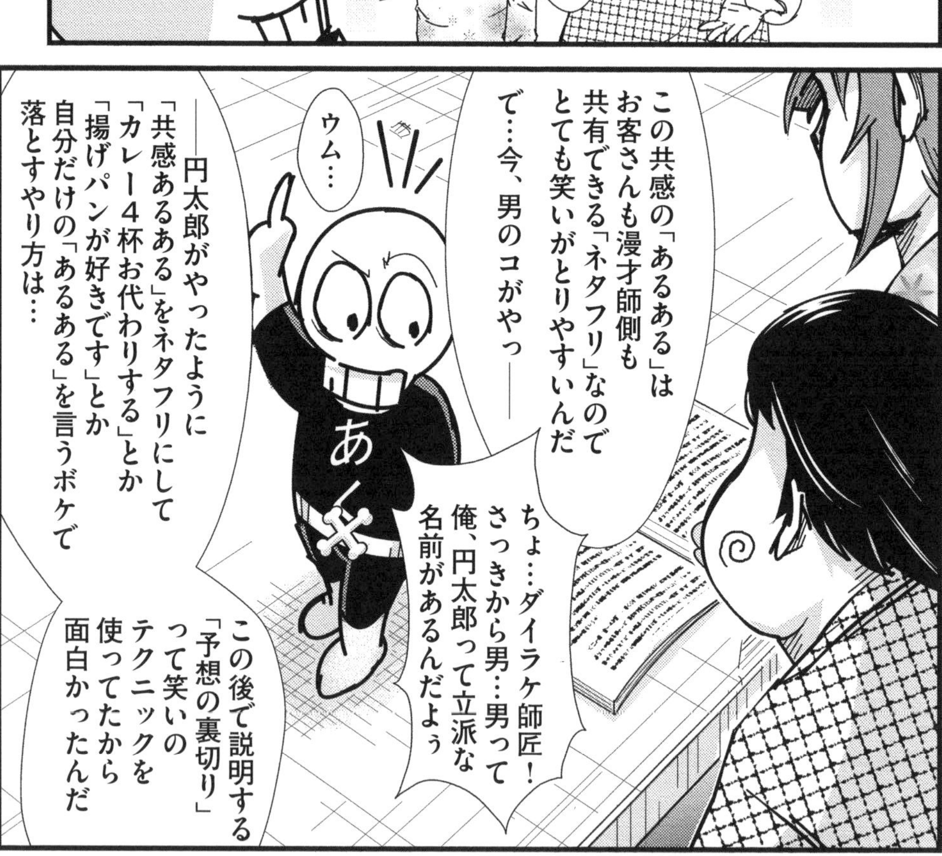
この共感の「あるある」は
お客さんも漫才師側も
共有できる「ネタフリ」なので
とても笑いがとりやすいんだ
で…今、男のコがやっ――
ウム…
ちょ…ダイラケ師匠!
さっきから男…男って
俺、円太郎って立派な
名前があるんだよぅ
――円太郎がやったように
「共感あるある」をネタフリにして
「カレー4杯お代わりする」とか
「揚げパンが好きです」とか
自分だけの「あるある」を言うボケで
落とすやり方は…
この後で説明する
「予想の裏切り」
って笑いの
テクニックを
使ってたから
面白かったんだ

へ――
……
そうだったんだぁ
すごく
ためになったね

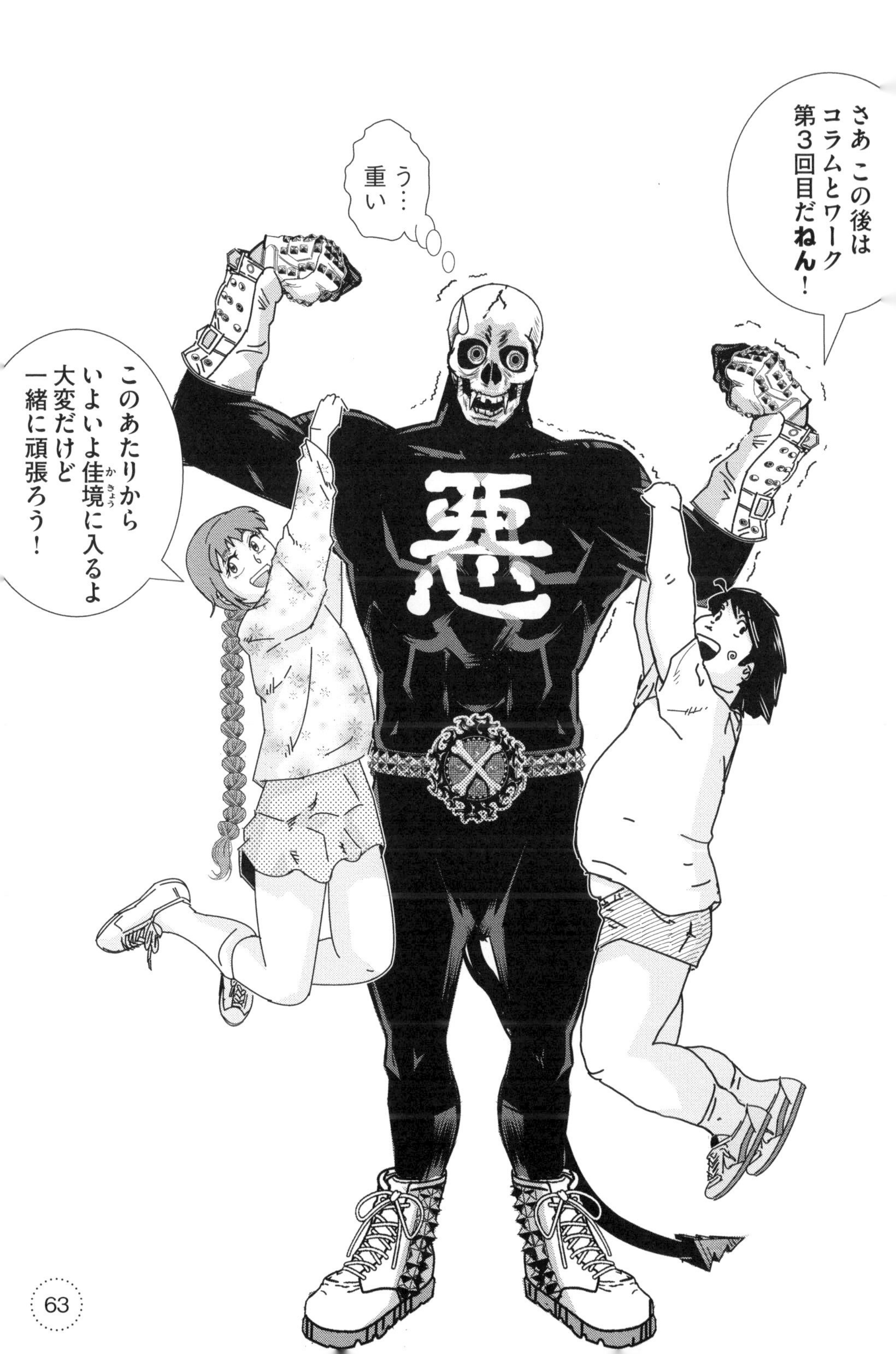
さあ この後は
コラムとワーク
第3回目だねん！
う…
重い
このあたりから
いよいよ佳境に入るよ
大変だけど
一緒に頑張ろう！

笑いのテーマとして最適なものは〝共感できるもの〟

共感できることで、笑いのテーマになりそうなものって具体的にはどんなことなのでしょうか？

それは、皆が知っているという「共通認識[※9]」がベースにあるものです。例えば……有名な「おとぎ話」や「童話」「むかし話」は、皆、子供の頃に親から聞かせてもらったり、本を読んだりしているから、お客さんもたいていはストーリーを知っているはずですよね。だから、非常に「共感」を得られやすいテーマになっています。

では、実際にむかし話「桃太郎[※10]」を読んでみましょう！

（※9）共通認識とは…どんな相手と会話してもわかりあえる認識のことを指します。

例 有名なむかし話の「桃太郎」

おばあさんが川でせんたくをしてると、川上からドンブラコドンブラコと桃が流れてきました……

という部分は、ほとんどの人が知っていて、頭の中にすぐ絵がわいてきます。つまり、漫才をしている側もお客さん側もどちらも共通のイメージを持っている状態になります。

この場合、「桃」のところだけ別のものにするだけで面白く変わります。

「おばあさんが川でせんたくをしてると、川上からドンブラコドンブラコと……**桃太郎**が流れてきました。『おばあちゃん、オッス!! オラ**桃太郎**』」

「違う！　どうしてもうすでに**桃太郎**になったヤツが流れて

（※10）桃太郎とは、日本のむかし話の一つ。桃の実から生まれた男子「桃太郎」がおじいさん、おばあさんからきびだんごをもらい、イヌ、サル、キジを従え、鬼ヶ島まで鬼を退治しに行く物語です。

くるんだよ。流れてくるのはくだものだよ」

「わかった。おばあさんが川でせんたくをしてると、川上からドンブラコドンブラコと……**ドラゴンフルーツ**が流れてきました」

「違う！　日本のむかし話だから、ドラゴンフルーツみたいな外国のくだものはまだ日本にないの！」

「わかった。おばあさんが川でせんたくしてると川上からドンブラコドンブラコと……**み**！」

「違う！」

「**り**！」

「違う！」

「**も**！」

「ＯＫ！」

「**モンブラン**が流れて」

「違う！　ケーキになってる！」

「クリがいっぱい入っているから、いいかなと思って」

……などというふうに、共通認識としてある「共感」[※11]できるイメージとは違うものを放り込むだけで笑いをとれます。

では、もう1つだけ例題を読んでみましょう。

「ことわざ[※12]、私、得意なんだ」

「僕も得意だよ」

「じゃあ私が、ことわざの前半部分を言うから、後半答えてみて」

「任せて」

「馬の耳に……」

「ブツブツ」

（※11）他にも、学校で習う「ことわざ」や「いろはかるた」などは、子供のころから遊んでなじみがあるはずですので、「共感」を得られやすいテーマです。

（※12）ことわざも「共通認識」を持ちやすい題材のひとつです。第3章のワークでは、ことわざを使った問題もいくつかあるので、実際にチャレンジしてみましょう。

「違う！　けど……ブツはあってるかな～」

ヒントをあたえる

「わかった！」

手をあげる

「じゃあ答えて。馬の耳に……」

「オダブツ」

「違ーう！　馬の耳にネンブツだよ。次いくよ……」

……などと繰り返して続いていきます。

ワーク3
観察力を磨(みが)いて「共感」を見つけられるようになろう

テーマ 漫才は、お客さんと漫才師が同じ話題で「共感」しあえることが重要になります。今回は共感とはどういうものか知っていきましょう。

ゴール 共感がどういったものか理解し、共感するポイントを見つけられるように観察力を磨きましょう。

「おとぎ話」でボケを作ってみよう!

問「金の斧 銀の斧」

おとぎ話を使ってボケを考えてみましょう。

ここは森の中。斧(おの)で木を切り倒そうとしてる人が、湖に斧を落としてしまいました。そしたら、湖の中から何かが出てきました。

ブクブクブク……

ボケて! ?

ちゃんとやれ！

私は、湖に住む水の精です。あなたが落としたのは、この金の斧ですか？

それとも、銀の斧ですか？　それとも……［ボケて！？］

いいえ、私の落とした斧は鉄の斧です。

あなたは正直者ですね。では、この［ボケて！？］をあげましょう……！

学校のことで"あるある"と共感できるものを探してみよう！

例　学校あるある

授業中に先生と生徒の円太郎が会話をしています。

「はい、何か質問のある人！」

「（手をあげて）はい！」

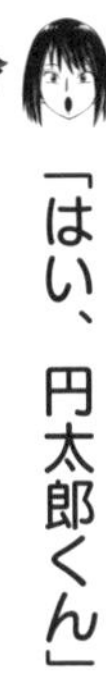

「はい、円太郎くん」

「お母さん……。あっ、先生……!!」

先生のことをお母さんと言ってしまう〝あるある〟ですね。

応 他にも「学校あるある」を3つあげてみよう！

1.

2.

3.

お父さんやお母さんのことで〝あるある〟と共感できるものを探してみよう！

例 お母さんあるある

知恵子が部屋でマンガを読んでいると、お母さんがやってきます。

「アハハ、アハハ！　このマンガ面白〜い!!」

「ねえねえ、知恵子、もう宿題やった？」

「まだだよ〜！」

「えっ!?　もう〜！　さっきすぐにやるって言ったでしょうが!!」

ガミガミ怒り出す母

「怖〜い。オニみたいな声だなあ……」

「だれがオニよ！　だれが……！　あら!?　電話だわ……。あっ、もしもし〜？」

「声、全然違うじゃん!!」

……などと繰り返して続きます。

応 他にも「家族あるある」を3つあげてみよう!

1.

2.

3.

ことわざの前半を「ネタフリ」にして「ボケ」を作ってみよう！

問 先の言葉に続く、予想を裏切るボケを考えてみよう！

1. 犬も歩けば……
2. 仏（ほとけ）の顔も……
3. 石橋（いしばし）を叩いて……

例1 電柱におしっこ

例2 美容整形 By 高須クリニック

例3 手を骨折する

アイデアノート

（たくさんアイデアを書いてみよう）

4章

笑いを広げるには「気づき」をふくらませる

マンガ

第四話「破門、疾走」

コラム

「共感の気づき」と「共感の誇張」

ワーク

どんどんツッコんで笑いをふくらませよう

第四話「破門、疾走」

はっ
ハッ
はっ
タッ タッ タッ タッ タッ
ゴシ
ゴシ
ン！
あれはっ
エンタ！
あ

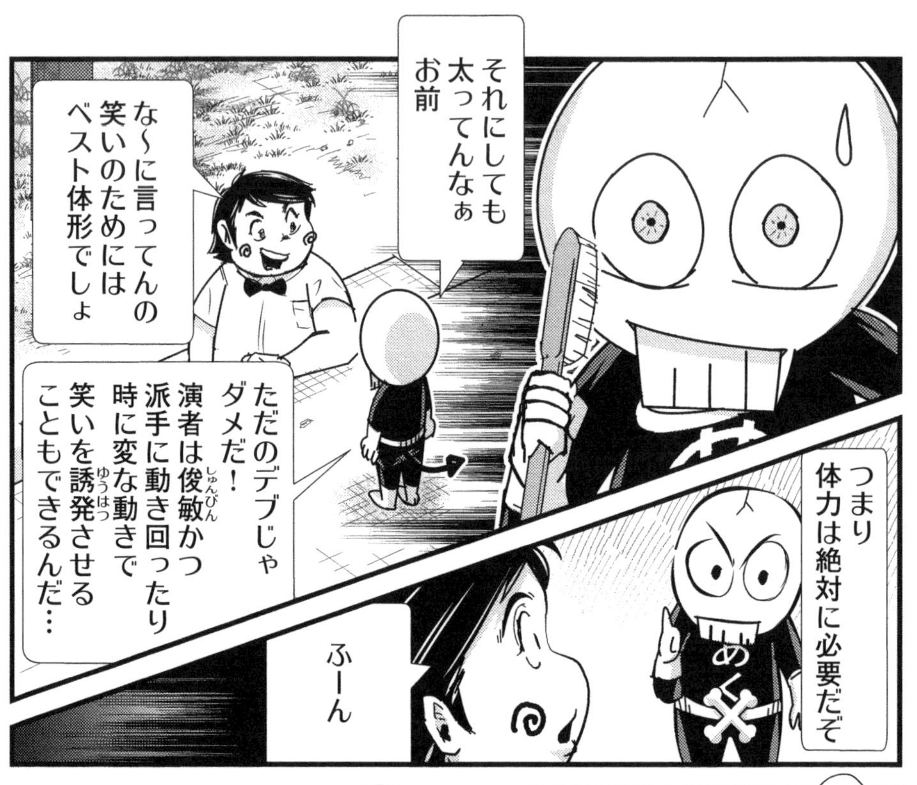
それにしても
太ってんなぁ
お前
な〜に言ってんの
笑いのためには
ベスト体形でしょ
ただのデブじゃ
ダメだ!
演者は俊敏かつ
派手に動き回ったり
時に変な動きで
笑いを誘発させる
こともできるんだ…
つまり
体力は絶対に必要だぞ
ふーん

アイツ…
本気か──

あら
知恵子ちゃん
お久しぶりぃ
ご無沙汰して
おります
夜分遅くに
お邪魔します

ごめんね漫才大会のこと…円太郎が無理やり誘ったんでしょ
いいえそんな…
お～チャコ❤よく来たねんよっ！早く上がりな！

はいジュース
ポアジュースだよ
ありがとう

これでも見てむかし話に花を咲かそうよ
そんなことしてる場合？エンタはちゃんと宿題やったの？
思ひ出のアルバム

もう大会まで時間がない…
ここでの勉強だけでは間に合わん！故に…宿題を出すぞ！

2人とも自分で考えたネタ台本を5本！明後日までに作ってこい！
えっ！明後日までに5本も！
Are we doing
Now?!
2人とも俺を師匠と呼んだな！つまりお前たちは弟子だ
つまり師匠の命令は絶対だ！もしやってこなかったら……
ドン
破門だ！
もう何も教えんからな…覚悟しとけ！
大丈夫？…もしやってなかったら破門だよ
失礼なちゃんとやったよ！

そーゆーチャコはやったのかよ？
うーん自信はないけど一応ね…

何よこれ！
全部紙１枚に
ちょこっと書いて
あるだけじゃない！
いいだろー別にぃ
それに長けりゃいいって
わけじゃねえねん
ギギギギ

ギィィィー
あっ
ダイラケ師匠！
よぉ
おじゃま
さま…
ぶらーん

師匠ぉなんで
羽根が付いてるのに
飛ばないねんの？
ポムッ

くるっ
大きいサイズの時は
もちろん飛べるが
このサイズじゃ
羽根も小さくって
役に立たんのだ
バッ

フムフム…
パラパラ
チャコはノートにびっしりで努力は買うが若干説明くさいな…
エンタは短い！感心はできん！だがまぁまぁ読める
よかったじゃあ今日はこれでお開きですね
ばーかーもーんー!!
これからが本番の講義だ！
ササッ
さてここでもう一度ネタフリ→ボケのセットが笑いを生むと言ったところまでに戻ろう
かぽっ
くるりんぱ
2人がやろうとする漫才にはネタフリ→ボケの次に「ツッコミ」というものが加わってくる
知ってるでえ「なんでやねん」「もうええわ」…ってやつや
関西弁ではそうなるな
では2人に聞くがなぜ漫才だけ最後にツッコミが加わるのかわかるか？

うーん…
ではヒントをやろう！4コマ漫画の読者と漫才の観客はどう違うかな？
わかった！読者の反応はわからないけど漫才は目の前にお客さんがいるから直接反応がわかるんだ！
Exactly!
その通り
ボケが言ったことにツッコむことでお客さんと漫才してる2人との間に共感度が増してより大きな笑いになるんだ！
次はボケをどのように作るかを説明しよう！ホラ、ぼやぼやしてないで次のページをめくって音読せよ！
はいっ！笑いのテクニック《予想の裏切り》です！

これは漫才を聞いたお客さんに「この後はこう言うだろう」と予想させたことを裏切ってオチ（ボケ）を言うテクニックだ！
コレはあらゆる笑いのテクニックを包み込む一丁目一番地にあたる基本中の基本のお笑いテクニックだからよーく覚えておけよ！
はいっ

この時の「ネタフリ」がお客さんが《常識》だと思っていることならオチ（ボケ）は非常識に
そして「ネタフリ」から「ボケ」へ移行する時の落差（ギャップ）は大きいほうが笑いも大きくなるんだ
あく
例えば男性の「ファスナーが開いている」という状況で普通のおじさんよりも「キムタク」のような
超二枚目のファスナーが開いてるほうがイメージとの落差（ギャップ）があって
パカーン
パカーン
笑いも大きくなるんだ
これが「キムタク」ではなく「アホの坂田（さかた）師匠」だと
パカーン
「ファスナーが開いていてもしかたないな」と思われてさほど面白くはならないんだ
——以上！2人ともここまでは理解できたかな？
はーーーい！
Are we
ん！？
今円太郎の声がしなかったが…どーした？

ゲッ！
寝てる
クァアー
ちょっとぉエンタ！
せっかく師匠が
教えてくれてるのに
なんだと
おっ！
あいや
待った！
！
コトッ
あ
ずず…
ず…
いいんだ
チャコ…
そのまま
寝かしてやれ
ぐあー

第4回〜♪
皆〜、順調に進んでいるかな〜？
よーし！最後までしっかり学ぼうねん!!
なんでこんなカッコウせにゃならんのだ…!?
特に意味はないっス

コラム4 「共感の気づき」と「共感の誇張」

「あるある」と思って共感することは、非常に有効な笑いのテクニックだと言うことはわかったでしょう。しかし、この「共感」にあるものをプラスすると、さらに大きな笑いをとれるテクニックがあります。それが「共感の気づき」[※13]と「共感の誇張（こちょう）」です。

「共感の気づき」とは、誰もが見過ごしてしまっていることを指摘してツッコむことによって気づかせて、お客さんの共感を呼び、笑いをとるテクニックです。

では、例題を読んでいきましょう。

（※13）お客さんが見過ごしている「共感できる気づき」の笑いを、日常生活の中から見つけ出すために一番必要となるのが観察力（かんさつりょく）です。それが学校の先生ならば、必ず出るクセかもしれません。ホームルームで男子を責める時の女子の興奮した言い方かもしれません。皆の観察力で、いろいろな共感の気づきを見つけ出して漫才のネタにとりいれましょう。

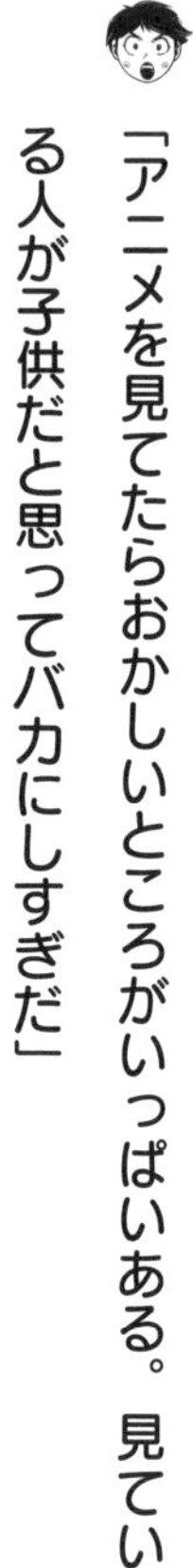

例 共感の気づき①

「アニメを見てたらおかしいところがいっぱいある。見ている人が子供だと思ってバカにしすぎだ」

「例えば、どこがおかしいの？」

「ドラえもん[※14]に出て来るジャイアン。ＴＶ版の時はイヤなガキ大将なのに、映画になったら、急にやさしくてめちゃめちゃいい奴（やつ）にキャラクターが変わってしまってる。映画に出る時に一体何があったんだ。あれ、絶対に藤子（ふじこ）・Ｆ（えふ）・不二雄（ふじお）にワイロをいくらか渡してますよ！」

「そんなわけないだろ！」

例 共感の気づき②

「悪いことをしている人を見ても、見ないフリをしてる大人がめちゃめちゃ多いって思いませんか？」

（※14）ドラえもんとは、藤子・Ｆ・不二雄による日本の児童漫画・ＳＦ漫画作品。および、作品内に登場する主人公の名前を指します。

「よく言った！　そんな大人を私たち子供は尊敬できません。どんなことがあるか言ってあげて！」

「公園にある小便小僧（こぞう）に、誰か大人パンツをはかせてやれよ！」

例 共感の気づき③

「『考える人』の銅像の写真が教科書にのってたけど、あれって本当は『考える人』じゃないんじゃないの？」

「ええ？　じゃあ、あれは何の銅像なの？」

「歯が痛い〜！　早く歯医者に虫歯を抜いてもらおう……と思ってるおっさんの銅像なんだ」

……などと、言われるまで見過ごしてきたことを指摘することが共感の気づきの笑いです。

「あるある」と共感を得たら、さらに笑いをふくらませる「共感の誇張」[※15]というテクニックもあります。ここでは「共感」がネタフリ。「誇張」がその裏切りのボケの部分になります。

わかりやすい「共感の誇張」の例として、モノマネ芸があります。モノマネ芸は似ているという「共感」に「誇張」を足して、大きな笑いをとっています。

モノマネする歌手のアゴが少ししゃくれていたら、めちゃくちゃ誇張してアゴを突き出して上下させながら歌ったり、口をゆがめて歌う歌手だったら、ここぞとばかりに大きく口をゆがめながら歌ったり、鼻が上を向いている歌手のモノマネをするときは、セロテープを使って自分の鼻をめくれ上がらせてモノマネしたり……まさに「共感の誇張」の宝庫です。

（※15）他にも似顔絵などでも元の顔の特徴的な部分を誇張させて笑いをとっています。鼻の大きい人はより大きく鼻を描き、出っ歯の人はメチャメチャ歯を前に突き出させて誇張して描いて、笑いをとります。

（※16）ホラ話とは…大げさに言い立てられた作り話のこと。「ホラ」は法螺貝（ほらがい）が名の由来です。

ホラ話[※16]も「共感の誇張」になります。落語にうそばかりつくうそつき男が登場する「うそつき村[※17]」という噺(はなし)があります。

うそつき男が「北海道は寒い。なんといっても水がすぐに凍(こお)る」と話すのがネタフリ。そこから「オシッコも凍る」と言いだし、「おしっこをシャーと出したらすぐに凍るので、北海道の人はそれを金づちでコーンと折る。またシャーとおしっこを出して、すぐに凍るんでまた金づちでコーン。シャーコンシャーコンシャーコン……とおしっこをしていく」という流れで噺は続きます。おしっこ以外にもその他いろいろな話を誇張して笑いをとることができます。

（※17）うそつき村とは…大阪にある「鉄砲勇助」という噺を江戸（今の東京）用に直したものです。ひとつの噺を前半「弥次郎」、後半「うそつき村」にわけたといわれています。この噺は、あまりにもばかばかしい嘘(うそ)、大きな嘘を聞かせるところがポイントです。

ワーク
4

どんどんツッコんで笑いをふくらませよう

テーマ お笑いの重要なポイントとして「共感」があることは、前の章で説明しました。その「共感」をより大きくするテクニックとして、「気づき」「誇張」がありますので、一緒に学んでいきましょう。

ゴール 共感を得られるであろうポイントに気づけるようになって、大きくふくらませられるようになりましょう。

歌にツッコんでみよう！①

問 ロシア民謡(みんよう)「一週間」の歌詞にツッコんでみよう！

♪ げつようびに　おフロをたいて
かようびは　おフロにはいり

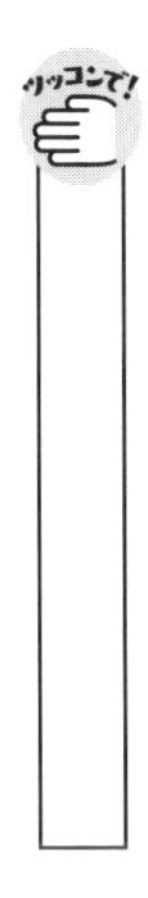

歌にツッコんでみよう！②

問 ヒットソングの気になるところをツッコんでみよう！

「歌って、思わずツッコミたくなる変な歌詞が多いよね」
「例えば？」
「西野カナ[※18]の大ヒット曲『会いたくて 会いたくて』の最初のフレーズって
ツッコみたくなるよね……
♪会いたくて会いたくて震(ふる)える……

（※18）西野カナは、日本のシンガーソングライター。2008年から活動を開始し、2019年に無期限活動休止(むきげんかつどうきゅうし)に。

って早く病院行けよ！　歌ってる場合じゃないぞ！

「ほっておいてやれよ」

「他にもある。THE BLUE HEARTS[※19]のヒット曲『1001のバイオリン』の最初の歌詞って知ってる？」

「えーと、何だったっけ？」

「♪ヒマラヤほどの消しゴムひとつ……そんなでっかい消しゴム使いにくいわ！　どうやって学校に持っていくんだよ！

」

応 この後の続きを自分で作ってみよう！

高齢化社会のアイドルってどんな感じなの？

例 AKB48という共感部分をお年寄りにすることで、どのように変化するかオリジナルのボケとツッコミを足して作ってみよう！

（※19）THE BLUE HEARTS（ザ・ブルーハーツ）は、日本のロックバンド。1985年に結成し、1987年にメジャーデビュー。「リンダリンダ」「TRAIN-TRAIN」など名曲を残し、1995年に惜しまれつつ、解散しました。

これから読み進めていく漫才の台本では、アイドルやアイドルのファンがしそうな物事が共感となり、ネタフリにあたります。そして、おばあちゃんがアイドルだったら……と言う部分が共感の誇張となり、ボケになります。

共感　アイドルの「ＡＫＢ」[※20]はいつもライブする場所「秋葉原」の略。

↓

共感の誇張　おばあちゃんがアイドルになったら「ＨＫＢ」。「ＨＫＢ」とは「墓場」の略。

共感　ＡＫＢのファンは、アイドルの汗(あせ)が飛んでくることが嬉(うれ)しい。

↓

共感の誇張　ＨＫＢは、肌が乾燥していて汗をかかない。ＨＫＢのファンは、鼻水とヨダレ、入れ歯も飛んでくることを期待している。

……というふうに、ネタフリ（共感）とボケ（共感の誇張）が対になって、面白く変化していっています。このように次々とＡＫＢの共感部分をもとにして、

（※20）ＡＫＢ（ＡＫＢ48）は、日本のアイドルグループ。秋元康(あきもとやすし)のプロデュースにより、２００５年12月から東京・秋葉原を拠点とし、活動を始めて、現在に至ります。

おばあちゃんがアイドルならばこうなると誇張して落差（ギャップ）のあるボケに変えていきましょう。

さて、実際に問題を解いてみましょう。

問 AKBとHKBのファン同士の会話をふくらませて、続きを考えてみよう！

「これからの時代は、お年寄りがどんどん増えてくる。だから、今まで考えられなかった分野にもお年寄りの方が進出してくると思うんだよね」

「例えば？」

「アイドル！」

「おじいちゃんおばあちゃんがアイドル⁉」

「そう。ＡＫＢ48に対抗して、おばあちゃんがいっぱいのＨＫＢ48とかできるんじゃないかなぁ」

「ちょっと待って……。ＡＫＢ48のＡＫＢはいつもライブしてる秋葉原の略だけどＨＫＢって何の略？」

「いつもライブしてる〝墓場〟の略」

「怖いわ！　何で墓場なんかでライブするんだよ」

「お年寄りが一番集まって来る場所だから、しょうがないだろ」

「ＡＫＢのファンは、ライブ会場の最前列に座ってＡＫＢの汗が飛んでくると嬉しいんだけど……ＨＫＢはどう？」

「ＨＫＢは、皆、肌が乾燥しているから汗をかかない。その代わり、鼻水とヨダレがとんでくる」

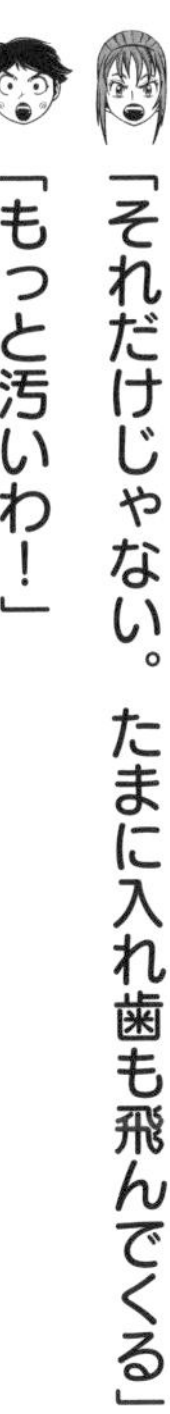
「汚いわ！」

「それだけじゃない。たまに入れ歯も飛んでくる」

「もっと汚いわ！」

さて、この話に続くボケを考えてみましょう。

AKBは ボケて！？

HKBは ボケて！？

ツッコンで！

アイデアノート

（たくさんアイデアを書いてみよう）

5章

人が笑う理由は“ギャップ”にあり

マンガ

第五話「さようなら師匠ー黄金の舞台」

コラム

「予想の裏切り」と「緊張の緩和」

ワーク

最強のお笑いの公式「緊張の緩和」を身につけよう

ピシッ
よし
決まった！
ガチャ
師匠
行くよ！
おう
知恵子
準備できた!?
行くわよ
円太郎
もうチャコちゃんたち
来てるわよ
早くしなさい
待ってよう
く……靴が
まー
チャコちゃん
おおきく綺麗に
なって！
今日はよろしく
お願いします
さぁ
行きましょうか

第五話『さようなら師匠ー黄金の舞台』
カモノハシ会館
おお！
スゴイ会場だなぁぁ
入場口
入口
コチラの用紙に住所氏名などと共にコンビ名を書いてください
ガヤ…
はーい
ザワザワ…
ハイナ！
円太郎あそこが受付みたいよ！
ザワワ
ワイ
カッ
ガヤ
生全国漫才大会エントリ
出場コンビ名
ダイラケキッズ
【ボケの方】
住所：東京都八王子市 あひるの台2-17-40
漫上円太郎
4989
5-6-7

ガヤ
なんだ本当に
そのコンビ名に
したのか
そらそうや
俺らは
ダイラケ師匠の子供も
同然ださかい
ワイ
ワイ
しかし…
結局その変てこな
関西弁だけは
直らんかったなー
ガヤ
ワイ…
ええんだすねん
……
これがワイの
味やですねんから
だから「ねん」↓じゃなく
「ねん」↑っだつーの！
師匠は
細かいなー
ガヤ
ワイ
ガヤガヤ…
ペンおじがとー！
ん！
コポン…

ガヤガヤ…
おいエンタ……
チャコのやつ
相当ナーバスに
なっとる……
心配やな
ワイ
ワイ

ワイ…
ガヤ

なんだよ師匠も関西弁
使うてるやん！
ヤベッ！
円太郎の口癖が
うつっちまった…
ワイ

ダーっは
はっ
はっはっ
は！
ワァ…

ワイ
あっチャコどこ行くの?
ワイ
楽屋よっ!
ガヤガヤ…
ワイ…
待ってー!
ワイ
ザワザワ…
あんだよチャコ弁当食わねぇの?食っちゃうぞ
どーぞご勝手に
なんだよ嬉しくないのかよ
ぱかっ
TV中継まで来てんだぞ!俺たちのデビュー戦にふさわしいじゃねんか
ザワワ
ガヤ
だーかーらーヤバいんじゃない!もし上手くいかなかったら全国に恥をさらすことになるのよ
ガツガツ
なるほどっ!
ワイ

まーさー
失敗した時のこと
考えたって
しかたがないよぉ
ガヤ
ワイ
ゲプー
え
もう食べ
ちゃったの?
ウン!…
えっ食べた
かったの?
ワイ…
今からだと
流動食みたいのしか
戻せないけど…
ワイ
オエーッ
ドン
あれ?
つまようじが
ないなぁ…
キョロキョロ
誰が食うか
そんなもんっ!
はっ
ザワ…
ザワザワ
ワイ
あぃーもん
見ーつけた!
パキッ

ワイ。。。
ちょっ
ちょっとエンタ！
何してんのよ!!
しーチチチ…
ワイ
い～かげんに
しなさいよ！
下品なことして！
さっきからふざけて
ばっかりで
私の話――
まともに聞いて
くれないじゃない！
ガヤガヤ。。。
バッ
いーわよもう！
どうせアンタみたいな
無神経な男には
か弱い乙女の気持ち
なんてわかんないん
だから！
ガヤ
もー
知らないっ！
え
ダッ
ワイ

キキィィ
ドンッ
痛っ！
…チャコ
オイ！エンタ大変だっ！
今チャコのヤツが大泣きしながら出てったゾ 大丈夫か？
バッ
師匠！ここにいて俺のかわりにゼッケンを受け取ってくれ！俺チャコを探してくる！
あっイヤ！
俺の姿は他の人間には見えないんだよぉ！

LAUGH NOTE
ポト

まーったく
エンタのやつ！
カァ
無駄に
大食いで！
ハ
粗野で
無神経！

あーゆー男…大っ嫌い！
グズ…
ハッ
そうだ！
あんなヤツの
ことなんて
どーだっていい！
サッ
ノートを読み直して
復習しなくっちゃ！

くそー！
チャコのやつ
どこの部屋にも
いねぇぞ！
どた どた
やべぇ まさかアイツ
出場辞退する気じゃ……
はっ！
関係者以外
立入禁止
クゥ…
……
あああっ……
ダメだあああぁぁ！
いくらノートを
読んでも
全く頭に
入ってこないよー！

ガチャ
ドバ
ロ
あ
チャコいたぁ！
まーったく
館内中探し
回ったたぜ！
エンタぁ…
さあチャコ
一緒に戻…
あっ
ダメだよ！
えっ⁉
こんな所で
ノートを広げちゃ！
忘れたのかい？

あっ！
でもさぁ…
確かダイラケ師匠さぁ
最初に会ったとき
カラスのことを
下僕って呼んでたじゃん
MY SOLD
MY SOLD

なんでその下僕…
下僕って家来のことだろ？
そいつがなんで
師匠のノートを奪って
飛んでいったのさ？
あっ！
それ私も疑問に
思ってたんだ
あー
そのことか
俺たち悪魔は一人に一匹
家来のカラスが付いて
いるんだ
まあ調査・偵察用
いわゆるスパイ
ってやつだな
つまりあれは
俺のカラスじゃない
おそらく「大王補佐」という
俺の地位を狙い
失脚させようと
している
「ガダブ」って
ヤツの仕業だ
coffee

なんでノートを奪うことが師匠の失脚につながるの?
俺たちの仕事は地獄の審問官なんだ
そこでは「笑い」は一切許されない
だが…俺は根っからのお笑い好きでな
だから密かにラフノートを作ってお笑いの研究もしたし出張と称して人間界でお笑いを堪能してるんだ
そうか!そのガダブってヤツノートを奪って師匠が本当はお笑い好きでウソの出張してるって「証拠」にしようとしてるんだ!
ドン
ウンウン…
なんて悪い野郎だ!
いや 空出張は結構普通に悪いと思うが…
だから2人とも注意してくれ!室内とか屋根のある所ならいいが
遮蔽物が全くない空と直結してる所例えばビルの屋上などではこのノートを読まないでくれ!
coffee
そーだった!思い出した!
だろ!
だから早く戻…
ガチャ

おー2人とも
ここにいたのか
あ
師匠
エンタ！チャコ！
ゼッケンが届いたゾ
バササッ
ガア！
！
カシィ
きゃあ
いかん！
ダッ
師匠お
おォ！
バッ

バサササッ
おぁ！
LAUGH NOTE
パシッ
危ないっ！
はぁ
はぁ
ぶらーん
あ……
ありが――…
ダ
ラ
きゃあああああ！
ガシィ
お…
落ちるぅぅぅ！
ビクッ
ギ
ビクッ
ぬがぁぁぁ…
させるかぁ！

うおおおぉ
おおっ！
ここでぇ
「ジャーマン
スープレックス」
だあああぁぁ！
ドゴォン
痛っ！
ゴンッ
パサ

ぐえっ！
キン
ドガッ
ゴン

ズキン
師匠…チャコ無事ですか？
ズキズキ

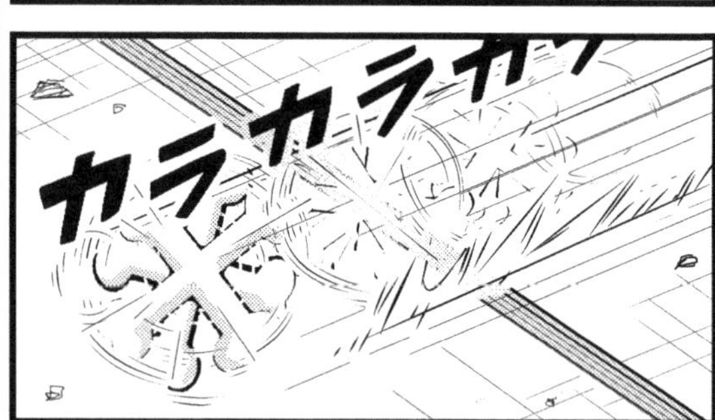
カラカラカン

エンタ…お前意外と
運動神経いいんだな見直したよ

ともかく…お前のお陰で助かったんだ
ありがとな…

ふわ
し…
師匠！
フワ
フワ
浮いてる
お前たちにはナイショにしてたが実は同じ人間に二度シッポを触られると
くるっ
サイズが元に戻ると同時に強制的に魔界に戻されるんだ
えっ！そんなぁ
でも師匠ぉサイズ全然戻ってないじゃんやん
ああ… 1週間この姿だったからな 元に戻るにも同じぐらいかかるんだ
まいいじゃないスか元に戻るねんなら…じゃ師匠 魔界に行ったらまたスグこっち来てよ
あっ！
ななんだよっチャコ！
でもそれじゃ魔界にかえってても皆にその姿見られちゃうじゃない
アーそうだっ！
赤っ恥だ

いや これも言ってなかったが
魔界と人間界をつなぐホールは…
魔界
人間界
片道50年
かかるんだ
嘘っ！
えっ！
50年！
えーと…片道50年って
往復…で…ぇ
100年！
そうだ！
ごっ50年も
そのホールってとこ
移動すんの…
退屈じゃない？
悪魔はな
時間に拘束
されない！
50年も50分も
変わらないんだ
だが お前ら
人間は違う
往復100年――
…つまり
もう二度と
お前たちには
会えない
そんなあ！
ごめん
なさいっ！
私がシッポを
触っちゃったから

いいんだチャコ
あの場合は
ああして当然だ
ラフノートは
チャコに譲るよ
大事にしてくれ
ばっ
師匠これ
落としもっ――
イヤッ…そのぉ…
あんな大技決めたから
サスペンダーがっ！
ゴゴメン！
師匠ォ
こんな時に
プッ
ブチッ
ズル
はっ
わははははっ！
テへへ…

それだ！エンタ
昨日お前が知りたがってた
「笑いの最終奥義」がまさに
ソレなんだよ！
は…？
あっ！
昨日——
ねえ師匠
この《予想の裏切り》の次の
「笑いの最大の公式
《緊張の緩和》」ってページ
袋とじになってて読めない
ねんけどなんでなの？
そんなイジワルしないで
教えてよぉ ホレホレ…
わっ
ワ～やめろ！
ギャハハハハッ
こちょこちょ
なんか最終奥義っぽくて
ワクワクするんだよなぁ
早く教えてよ！
ウム…それは口で伝えるより
明日の大会当日おそらく
緊張しているお前たちに
実際に試したほうが
より体得できると思うんで
今はナイショだ
最終奥義さえ
学んじまえば
他を忘れたって
楽勝だもんね
ほれほれ
ほれ…
ヒィーギャハハ…
いーかげんに
しなさい！
ゴン
いでっ
あのことか…

そう《予想の裏切り》の1バージョン
《緊張の緩和》こそが
最強の笑いのテクニックなんだ！
「ネタ振り」から「オチ（ボケ）」への
ギャップが大きいほど面白くなると
以前説明したが――…中でも
《緊張》という『ネタ振り』から
『緩和』という『オチ（ボケ）』への
ギャップは常に180度近いものに
なるので確実に大きな笑いがとれる！
エンタは『笑いの最終奥義』と呼んだが
まさにその通りなんだ！
例えば
卒業式や結婚式・お葬式など
真面目で厳粛な場面での
誰かの意図せぬ失敗などは…
その場が
絶対に笑ってはいけない状況だけに
逆に笑いの感情を倍増させるんだ！
ピタッ
ぷっ…
そうか！以前お葬式で
お坊さんの頭にハエが止まった時
死ぬほど面白かったのは
そういう理由だったんだ！
なるほど！
そしてモチロン
今のような…
ポッ
ポッ
『永遠の別れ』の
場面でもな

！。

あ 師匠
これ…

そのバックルはエンタ…
お前にやるよ
純銀製だよ

しかし…この出張は結局一本の落語も漫才も…
見ることができなかったなぁ…

だが今までのうちで今回が一番――面白かった！
心の底から楽しかったゾ！

唯一の心残りは本番の舞台に立った「ダイラケキッズ」の漫才を見られなかったことだけだ…
えっぐ
えっぐ…
じ…師匠お

くわっ
ギュ

師匠っ！
俺はこれから日本一の漫才師になって
100歳…いや120歳まで現役で活躍する
伝説の喜劇王になったりまっせー！
デュワッ！
そん時
また会いましひょう
でぇ――！
ハハハ…
そうだな
その時また――
会お…
フッ

…チャコ
サァァァァ…
俺たちやろうな…
俺たちのためじゃない
俺たちが恥をかくとか
そんなことは
どーでもいい!
天…じゃねえ
魔界に戻る
師匠に聞こえる
ように――
ギュ
思いっきり
やったろうや!
なあ!
パッ
さぁ
立ちな…
きれいな
衣装が台無し
だねん!
う…
うん
ポツ
ポツ
ざあああああ…
ドキドキ

以上
「ドリドリドリグゾン」でしたぁ
サァアアァ——
次は私立T小学校の小学6年と1年生の年の差コンビ「爆裂★腸捻転」ですはりきってどうぞぉ
小学生全国漫才大会
ワァアアァアッ
パチパチ
パチパチ
待ってました！
パチパチ
いいぞ！チョーネンテン！

ワハハ
だからバーガー千個だって！いやセットじゃねえ
はあ？
オレ業者だよ
次はいよいよ俺たちだねんよ！
しかし…やっぱ舞台はすごいなぁ
黄金色のまばゆいライトに照らされてまるで世界の中心にいるみたいや

そーーっ

ひっーーー！
クラスの皆も
た…タケル君も来てるぅ
ワハハハ
……

ご一緒にポテトはいかがですか？
だから普通かよー
ギャハハハハッ…
バッ
う
ブルブル
……
なんやチャコ
また緊張してんのか？
そのバーガーにはポテトってのが古いんだよ！
いっそホタテにしろ！
ホタテに！
ぎょ魚介類！
ドッ
大丈夫やて
チャコ
2人…いや3人で
あれだけ練習したんや
俺らなら絶対いけるて！
で…
でも
ワハハ

ププップー
なあチャコ覚えとるか…師匠の命令で度胸試しの路上ライブしたやろ？
あ…あかうずらっ！
……安心交通の垢鶏です
えっ…ええ

あん時 俺の咄嗟のアドリブのボケにお前笑ってくれたろ？
ウ…うん
ワハハハ
ならそれで十分や！お前が——チャコが笑ってくれたんなら……
俺はオモロイねん！
で師匠が言ってたやろ
コンビは一心同体だって——
ワハハ
ギャハハハハ
つまり…

クワッ
俺たちは面白い
んや！
え
どぎゅーーーん
なに…今の胸の高鳴りは…
さっきも屋上でエンタと手をつないでる間ドキドキしてたけど…
ままさか…
恋…
こ
ビクッ
ひぃ！
はーい！次の方出番です！
以上…爆裂★腸捻転でしたぁ！
ギャハハハハッ
クイッ
よし！もうウダウダ悩むのはやめだ！
師匠のソートとエンタを信じてついていく！

次は市立M小学校小学6年生コンビ『ダイラケキッズ』だっ！
いくでぇチャコ！
ワァアアアッ
めざせ優勝
はいなエンさん！

おわり

コラム

5

「予想の裏切り」と「緊張の緩和」

まずは、「予想の裏切り」とは何か、わかりやすく図解してみます。

(※下の図参照)

皆さんは予想もしていなかった何でもない失敗をして、まわりから笑われたことが何度もあるはずです。

この「失敗したときの笑い」というのは、しようとしていないのに、偶然にも予想できる結果とは「違う」ことをしてしまった時に起こる笑いです。

つまり、相手の予想を裏切って「違う」ことをすると「笑い」が生まれます。「言い間違い」「勘違い」「取り違い」……すべて「笑

予想の裏切り

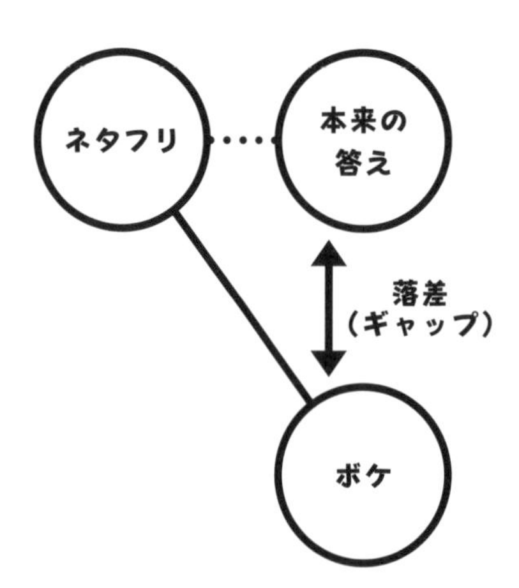

い」を生むのです。
その例として挙げるなら、みなさんがよく知っている「早口言葉」という遊びは、言い間違えやすい言葉を言わせて「失敗」させることで笑いをとる遊びなのです。

また、「ボケ」は、ネタフリから予想できる答えからの落差（ギャップ）が大きければ大きいほど基本的には面白くなります。その予想の答えからの落差（ギャップ）が必ず180°になるのが「緊張の緩和」になります。（※下の図参照）

例えば、学校の先生が窓ガラスを割った生徒へ、きつく叱（しか）っているシチュエーションを想像してみてください。そこには泣きながら謝る生徒がいるはずです。ここまでが「緊張」となります。
しかし、泣いて謝っている最中に生徒が「プ～」と音のするオナラをしてしまったら、一気に緊張が緩（ゆる）んでしまいますよね。こ

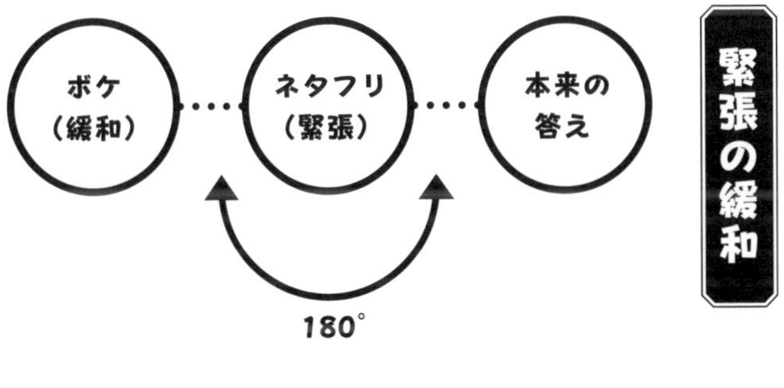

緊張の緩和

れが「緩和」となります。それまで怒っていた先生も怒られていた生徒も、それまでの泣いて謝る緊迫した状況（緊張）からの大きな落差（緩和）で大爆笑になってしまった……。これが「緊張の緩和」の笑いです。

喜劇の定番としては、よく道を歩いている人がバナナの皮を踏(ふ)んですべり、大きくこけて笑いをとるシーンがありますが、これも「緊張の緩和」[※21]になっています。

映画内に出てくる道を歩く人と言えば、怖(こわ)そうなギャングの親分や、やたらといばって偉そうにしてるお金持ちのおばさんなど、どう見ても嫌な奴になっているから、お客さんは緊張を感じます。ですが、その後にバナナの皮を踏んで大きくこけることで一気に緩和となり、「偉そうにしやがってざまあみろ」と大笑いできるのです。

（※21）緊張の緩和は他にも「怖い話」や「生きるか死ぬかの状態」など幅広い設定で使われています。「怖い話」で活用されるとどうなるかは次のページで説明します。

しかし、これがヨチヨチ歩きの子供がバナナの皮ですべっても全く笑えません。なぜなら、ネタフリの部分がヨチヨチ歩きの子供という緩和を感じさせるものだから「バナナの皮ですべる」という緩和になっても、状況が緩和から緩和に移るだけで、落差がないため、笑えないのです。むしろ、子供が泣いたら「かわいそう」となり、状況が緊張に変わってしまって、笑うどころではなくなってしまいます。

「緊張の緩和」を「怖い話」へ置きかえるとどうなるかは、次のページで説明します。

例 メリーさん

「なあ、メリーさんの話、知ってる?」

「知ってるよ。夜中に何度も怖い電話かかってきて、だんだん近づいてくるのがわかって、怖さが増してくるやつやろ」

漫才コントに入る

「トゥル～トゥル～ガチャ……もしもし、どなたですか?」

「私、メリーさん。今、駅前にいるの……ガチャ!」

電話を切る

「ええっ……!? なんか気味悪いなあ……トゥル～トゥル～ガチャ! もしもし……」

「私、メリーさん。今、国道にいるの……ガチャ！」

電話を切る

「うわっ、なにこれ……だんだん近づいてきてる。怖〜、めちゃ怖いわ……トゥル〜トゥル〜、あ、また電話や。もしもし？」

「私、メリーさん」

「ひぇ〜〜」

「今……」

「はい」

怖がる

「今……」

「はい……」

さらに怖がる

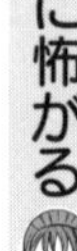

「今、私、どこにいるの？」

「道に迷ってたの⁉……もういいわ」

クライマックスに向かって、どんどん怖くなるのに、急に「道に迷う」という緊張の緩和があることで面白さにつながります。

ワーク5

最強のお笑いの公式「緊張の緩和」を身につけよう

テーマ

お笑いにとって大事な要素として「予想の裏切り」があります。その予想の裏切りの中にある最強の笑いの公式が「緊張の緩和」になります。

ゴール

ボケで必要な「予想の裏切り」を学んだあとに、最強のお笑いの公式である「緊張の緩和」ができるようになりましょう。

誰もが知ってる「運動会の競技」で予想を裏切ってみよう！

まずは始めにネタフリをし、ボケてツッコんでみましょう。

例 50m走

「位置について……よーいどん!」

ボケて! 「　　　　」

ツッコンで! 「　　　　」

例 ボケて! うっ……ピストルの弾が当たってもうた

例 ツッコンで! 実弾入ってるわけないやろ

例 玉入れ

「玉入れやるわよ〜! よーい、スタート!」

ボケて! 「　　　　」

ツッコンで! 「　　　　」

例 ボケて! お〜い。タマ〜。こっちおいで〜。

例 ツッコンで! 誰がペットの猫入れてんねん!

応 運動会の他の競技でも、予想を裏切るボケをいっぱい作ってみよう!

「綱引き」「リレー」「借り物競争」「組体操」「イス取りゲーム」「2人3脚」など、いろいろなテーマで考えてみましょう。

笑いの最大の公式「緊張の緩和」を学んでみよう！

問 刑事ドラマ

「私、刑事ドラマが好きだから、今から2人で刑事ドラマの1シーンやらない？」

「いいよ。僕が先輩刑事やるから、（相方に向かって）後輩刑事やって」

「わかった。シーンは2人が犯人を追いつめるところから始めよう」

コントに入る

「おい犯人、無駄な抵抗（ていこう）はやめろ。もう逃げられないぞ」

「…おい、犯人、ピストルを捨てろ。早く捨てるんだ。早く！（と前へ出るが、犯人に撃たれる）バキューン……

ボケて！？

［　　　　　　　　］」

最終的に倒れる

「［ツッコンで！］……先輩、大丈夫ですか？」

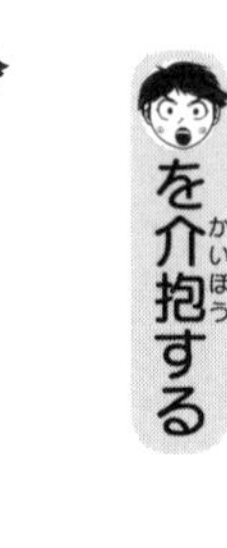

を介抱（かいほう）する

「ううう……俺はもう駄目だ。頼む。俺が死んだら、これだけはオフクロに伝えてくれ」

「わかりました。何でしょう……？」

「……［ボケて！］ガク……」

「［ツッコンで！］もうええわ！」

いかがでしたでしょうか。

これでボケとツッコミの関係性に、さらに発展した「予想の裏切り」に「緊張の緩和」も知ることができましたね。

アイデアノート

（たくさんアイデアを書いてみよう）

おわりに

私は吉本興業の文芸部に所属して長年、吉本興業で催すお笑いの舞台やＴＶのバラエティ番組の台本をいっぱい書いてきました。

そのことがきっかけで、プロの漫才師を養成するために作った吉本総合芸能学院（通称ＮＳＣ）の大阪校９期生から講師をさせてもらうようになりました。その講師という仕事は、現在も続けさせていただいています。ちなみに、第１期にはダウンタウン、僕が最初に担当した９期生には、ナインティナインがいました。

ＮＳＣでは、生徒が作って来たオリジナルの漫才を見て「こうした方がもっと良くなるよ」などとアドバイスしていく授業をずっと続けています。

そこでは、彼らが「笑いの作り方」を勘違いしている様子をたびたび目にします。そのたびに、「こうした方が面白くなると思うよ」とアドバイスするのですが、すぐには理解してもらえず、とてももどかしい思いをしていました。

そんなとき、子どもたちを対象にしたＮＳＣジュニアコースが始まり、私も講師を頼まれました。何百人もの生徒が在籍(ざいせき)するＮＳＣとは違って、ジュニアコースはぐっと少ない人数の生徒でした。

ＮＳＣの生徒達は人数が多いので、自分が面白いと思う漫才をいきなり作ってきてもらい、披露してください……というのが基本ですが、小学生の子どもたちにはそうはいきません。ＮＳＣ生たちと同じ2分の漫才をやるにしても、この本の中にあるボケとツッコミ部分が空白になっている漫才の台本をもとに、自分なりのボケとツッコミを考えさせて、漫才を覚えて発表させることをメインにしたレッスンを進めて来ました。

このジュニアコースの生徒に与える漫才台本には、プロも使っている漫才で使える笑いの公式を毎回盛り込んで、知らないうちに自然と面白い漫才をやれるようにしてきました。

この本のワーク部分の漫才台本はその中のほんの一部です。ということで、この本は漫才やお笑いを30年以上教えてきた私の集大成です。できるだけ多くの人が楽しんで、この本をきっかけにして漫才にチャレンジしてくれれば幸いです。

皆の漫才で日本中の人を笑顔にしていこうね。

最後になりますが、今回この本を出すチャンスをくださった吉本興業の大﨑会長、感謝してもしきれません。ありがとうございました。

吉本興業文芸部　大工富明

NSCの魅力

「365日稼動する劇場がいくつもあるよしもとの学校」

NSCは、毎日お客さんと向き合える寄席があるよしもとだからこそ、芸人の基本が学べる唯一の学校です。NSCには、面白さを追求するだけではなく、芸人としての基本や所作、しきたりなどを師匠方、先輩、後輩から、芸人として学べることがたくさんあります。

「ネタだけではなく、お笑いのビジネスが学べる」

今の時代、芸人さんはネタだけでなく、プレゼンやYouTube動画が作れたり、プロモーションを学んだり、多角的に展開するためのスキルも必要です。さまざまな事業展開をするよしもとの学校だからこそ、それらが全て学べます。

「よしもとには、必ず君の居場所がきっとある」

よしもとのエンタメフィールドは、舞台、テレビだけでなく、お笑いを中心に、デジタル、エリア、映画、出版、ライブ、ゲーム、アニメ、海外、国連SDG'sのPRのお仕事など多岐にわたって広がっています。よしもとには、人とは違う自分だけのチャレンジができる、自分だけの居場所が無数にあります。NSCで、お笑いを学び、よしもとで広がるさまざまなフィールドにチャレンジしてみませんか。

「多くのマネージャーが君をサポートしてくれる」

世の中に出るためには、マネージャーの協力が大切です。よしもとには、様々な分野のマネージャーが在籍し、芸人活動をサポートしています。もちろん、コンプライアンス対応についてもご安心ください！

各校紹介

※2020年1月現在

東京校

住所：〒101-0051　東京都千代田区神田神保町1-41-1
三省堂第二ビル1F

電話番号：03-3219-0677

※平日11：30～18：00

大阪校

住所：〒542-0075　大阪府大阪市中央区難波千日前12-35
SWINGヨシモト6F

電話番号：06-6643-1162

※平日11：00～18：00

札幌校

住所：〒060-0031　北海道札幌市中央区北一条東4-1
サッポロファクトリー１条館３階
よしもとエリアアクション札幌支社内

電話番号：011-219-1122

※平日11：00～18：00

名古屋校

住所：〒460-0008　愛知県名古屋市中区栄5-1-32
久屋ワイエスビル６階

電話番号：052-252-7250

※平日11：00～18：00

広島校

住所：〒730-0051　広島市中区大手町2-2-9
大手町22ビル３階

電話番号：082-249-6223

※平日11：00～18：00

福岡校

住所：〒810-0801　福岡県福岡市博多区中洲5-4-18
ツインKビル7F

電話番号：092-261-7870

※平日10：00～18：00

沖縄校

住所：〒900-0016　沖縄県那覇市前島3-25-1
とまりん3F

電話番号：098-861-5140

※平日10：00～18：00

NSC★紹介

NSC★とは…

吉本興業が1982年に創立した、ダウンタウンやナインティナインなど数多くのスターを輩出してきた芸人養成所。2019年度より「お笑いコース」と「ビジネスコース」を展開し、舞台・メディア・YouTubeなど、エンタメ業界の多方面で活躍できる“おもしろい人”を育てています。

コース紹介

お笑いコース

芸人としてより“おもしろい人”を育てるコースです。
舞台に立つ芸人として、必要な所作などをここで徹底的に学びます。また、舞台だけではなく、YouTubeやAmazon、アプリなどといった現代で急速に拡大するエンタメコンテンツ環境に適応できる新しい種類の芸能人の育成も追求していきます。

ビジネスコース

エンタメ業界で活躍する“おもしろい人”を育成するコースです。
番組・イベント制作を始め、さまざまな角度からエンタメ業界を盛り上げている“よしもとのノウハウ”を伝えるだけでなく、よしもとならではのコンテンツを利用した「モノづくり」にチャレンジできるカリキュラムを用意しています。

ジュニアコース

従来ある「子供タレント」育成はもちろん、よしもとらしくお笑い色豊かな「子供芸人」を育てるコースです。TVや舞台で活躍する、現役作家・芸人らを講師に迎えておくる充実のレッスン、他にはない“お笑い”に特化したレッスンで楽しみながらプロの力を身につけることができます。
※ジュニアコースは東京校・大阪校のみとなります。

ラフノート -漫才の作り方入門-

2020年3月27日　初版発行

著者　大工富明
マンガ　用宗四朗

発行人　松野浩之
編集人　新井治

デザイン　大瀧康義（株式会社ワルツ）
校閲　聚珍社
営業　島津友彦（株式会社ワニブックス）
協力　NSC
編集　中村元（株式会社コルク）、古川亮（株式会社コルク）、立原亜矢子

発行　ヨシモトブックス
〒160-0022　東京都新宿区新宿5-18-21
03-3209-8291

発売　株式会社ワニブックス
〒150-8482　東京都渋谷区恵比寿4-4-9 えびす大黒ビル
03-5449-2711

印刷・製本　株式会社光邦

JASRAC 出 2001001-001

IBSN 978-4-8470-9848-2
C0095